Magdalena peruana
y otros cuentos
Alfredo Bryce Echenique

Plaza & Janés Editores, S.A.

Portada de
JORDI SÁNCHEZ

Primera edición: Octubre, 1986

Derechos exclusivos para España
Prohibida su venta en los demás países del área idiomática

Copyright de APPLES: © Alfredo Bryce Echenique, 1985
Copyright del resto de la obra: © Alfredo Bryce Echenique, 1986
Editado por PLAZA & JANES EDITORES, S. A.
Virgen de Guadalupe, 21-33. Esplugues de Llobregat (Barcelona)

Printed in Spain   —   *Impreso en España*
ISBN: 84-01-38083-9   —   Depósito Legal: B. 33375 - 1986

Mi agradecimiento más sincero a Maruja y Ramón Vidal Teixidor, Ivonne y Carlos Barral, Marisa y José Villaescusa, y Alfredo García Francés, por cuya extraordinaria bondad este libro y yo hemos sido posibles.

ANOREXIA Y TIJERITA

«Menos mal que siempre viene luego la noche
para poner las cosas en su sitio.»

RAFAEL CONTE

A Ana María Dueñas y Michael Delmotte.

No era, ni había pretendido ser, lo que se llama precisamente un hombre con escrúpulos, y mucho menos cuando las cosas le salían bien. Y las cosas le habían estado saliendo muy bien, hasta lo del maldito caso Scamarone, o sea que se había convertido en un hombre totalmente desprovisto de escrúpulos. Esta idea, esta conclusión, más bien, ya no le gustó tanto a Joaquín Bermejo, por lo que dejó de jabonarse el brazo derecho, empezó con el izquierdo, y una vez más constató fastidiado que el hombre se enfrenta con su almohada, de noche, o con el espejo, cada mañana cuando se afeita, mientras que él era una especie de excepción a la regla porque siempre se enfrentaba con sus cosas bajo el sonoro chorro de la ducha.

Maldijo a Raquelita, entonces, porque ella y su anorexia como que dormían demasiado cerca para que él se atreviera a confiarle secreto alguno a su almohada, y porque *flaca, fané, y descangallada*, purita anorexia ya, Raquelita y su detestable y exasperante anorexia eran muy capaces de metérsele distraídas al baño, muy capaces de sorprenderlo mientras él andaba afeitándole algún trapo sucio al espejo.

Pero cuando soltó lo de enferma de mierda, hija de tu padre y de tu madre, pensar que todavía tengo que meterte tu polvo de vez en cuando, entre pellejo y huesos, cuando ideas y constataciones se le enredaron con los peores insultos, fue en el instante en que hasta ayer ministro de Trabajo y Obras Públicas, con chófer, carrazo, guardaespaldas y patrulleros cuidándole la casa, de pronto se sintió abyectamente solo, en pelotas y solo, ex ministro calato y solo y completamente distinto al común de los mortales porque el común de los mortales se enfrenta con su almohada o el espejo y en cambio yo, nadie más que yo, nadie que yo sepa, en todo caso, termina usando el chorro de la ducha de almohada o espejo.

Por último dijo la puta que los parió, pero esto fue al pensar en el caso Scamarone y en que su partido en las próximas elecciones, cero, o sea que nunca más volvería a ser ministro de nada ni el Señor Ministro ni a sentirse Ministro ni el Señor Ministro ni nada. La puta que los parió.

Abrió al máximo los caños de agua caliente y fría y se vio regresando ex ministro a su estudio de abogado y con las elecciones tan perdidas dentro de dos meses que nuevamente se vio regresando ex ministro al estudio pero su desagrado fue mucho mayor esta vez por lo de las elecciones y porque tenía momentos así en que lo del caso Scamarone realmente le preocupaba. Nuevamente era abogado, un abogado más, y en un par de meses su partido iba a estar tan lejos del poder que él sí que ya no podría estar más lejos del poder. La puta que los parió. Como si nunca hubiese estado en el poder y encima de todo lo del caso Scamarone.

Empezó a jabonarse la pierna derecha pensando que en tres años de ministro tal vez no había sacado una tajada tan grande como la que pudo. ¿O sí? En el fondo, sí, aunque si la Prensa amarilla no lo hubiese asustado con esos titulares en primera página tal vez habría podido sacarle mejor partido a... Al caso Scamarone, como le llama la Prensa amarilla. Trasladó ambas manos y el jabón a la pierna derecha. La puta que los parió. Seguían con lo del caso Scamarone, ¿cuándo se iban a hartar?, ¿cuándo encontrarán algo mejor?, ¿cuándo me dejarán en paz...? Son capaces de seguir... Son muy capaces de seguir y el próximo Gobierno... Joaquín Bermejo soltó otro la puta que los parió y empezó a enjuagarse con el próximo Gobierno...

O sea que ni hablar del viaje a Europa con Vicky. Ni hablar

del encuentro en México y la semana en Acapulco para luego seguir juntos por toda Europa y así nadie se enterará. *EX MINISTRO BERMEJO SE FUGA.* Lo estaba viendo, lo estaba leyendo, o sea que ni hablar del viaje. El amargón que se iba a pegar Vicky. Bueno, la calmaría con un regalazo, explicándole entre besos que por el momento era imposible, ten en cuenta, Vicky, son sólo unos mesecitos, deja que se enfríe el asunto, por favor ten en cuenta. Al final la calmaría entre besos, pero entre esos besos se encontraría con los ojitos socarrones, penetrantes, una miradita de Vicky a su ex ministro, ¿tan asustado te tienen, Joaqui...? La muy hija de...

En cambio Raquelita se tragaría sus explicaciones, apenas tendría que explicarle, apenas inventarle algún pretexto para postergar ese largo y urgente viaje de negocios. Raquelita se lo tragaría todo con la misma facilidad con que se tragaba siempre todo, todo menos los tres melocotones de su anorexia. Tampoco tendría que hacerle un regalote, tampoco lo llamaba Joaqui entre besos, Raquelita llamándolo Joaqui entre besos, qué horror, por Dios...

Ahí sí que Joaquín Bermejo, cerrando ambos caños con violencia, soltó íntegro: La muy hija de la gran pepa. Y se quemó porque terminó de cerrar antes el agua fría, me cago. Se había quemado sólo porque ya no era ministro, no, no sólo por eso, también se había quemado porque la muy hija de la gran pepa de la Raquelita ni siquiera sabía lo que era la Prensa amarilla, y también se había quemado, además de todo, porque su raquítica esposa, la madre de sus tres hijos, la heredera y dueña de todo lo que tenían hasta que él llegó a ministro, la del apellidote, Raquelita y su anorexia, en fin, de haber sabido que existía la Prensa amarilla, ¿qué habría dicho? Joaquín Bermejo la oyó decir es gente de la ínfima, Joaquín, mientras de un solo tirón abría la cortina de la ducha para descubrirse menos ministro que nunca y en un baño que era como si le hubieran cambiado de baño...

La corbata. Los chicos ya se habían ido al colegio, y, en el comedor, como siempre, aunque ahora sin patrulleros en la puerta, Raquelita (una taza de café, ni una gota de leche, y el melocotón de la anorexia), Raquelita y su primer desayuno sin el chófer del Ministerio esperándole afuera. Era verdad, ya alguien se lo había dicho, medio en broma medio en serio, vas a extrañar el poder, Joaquín, y era verdad. Por ejemplo, al cabo de tres años, no bien terminara las tostadas, el jugo de naranja, y el café con leche, tendría que cambiar de dirección, pasar por la repostería, decirle al mayordomo que le abriera la puerta del garaje y sacar su automóvil. Se incorporó, le importó un pepino dejar a Raquelita luchando con su melocotón, no le dio el beso de las mañanas, ya llamaré si no puedo venir a almorzar, y se puso el saco. Joaquín, le dijo, de pronto, Raquelita. Se detuvo y volteó a mirarla: ¿Qué?

—Que ya no eres ministro, Joaquín. Que a los chicos les encantará verte a la hora del almuerzo.

Joaquín repitió íntegro y exacto el movimiento: volvió a ponerse el saco completamente, y no le quedó más remedio que abrocharse un botón más como parte final del diálogo con Raquelita luchando con su melocotón. Ella había vuelto a bajar la mirada, a concentrarse en su melocotón. Con cuánta finura lo hacía y lo decía todo en esta vida Raquelita, la muy... la muy nada.

—Volveré a tiempo para almorzar con los chicos. Promesa de ministro, Raquelita.

El automóvil. *Que ya no eres ministro, Joaquín. Que a los chicos les encantará verte a la hora del almuerzo.* Raquelita lo había desarmado completamente. ¿Cómo y por qué lo había desarmado tanto Raquelita? En primer lugar, se respondió Joaquín, dejando avanzar lentamente el automóvil hacia el centro de Lima, si hay una persona en el mundo a la que le resbala por completo que yo haya dejado de ser ministro, esa persona es Raquelita. Claro, su padre fue ministro cinco veces, media familia suya ha sido ministro cinco veces, mas presidentes, virreyes y hasta un fundador de la ciudad de Lima cinco veces, si eso fuera posible. Y en segundo lugar, o sea en primero para Raquelita, porque me quiere por lo que soy. Joaquín recordó la escena, visitó sin ganas la noche completa de verano y el jardín para decir eso en que le dijo que quería casarse con ella.

Había traído su flamante diploma de abogado.

—¿Me quieres como soy, Raquelita?

—Más, mucho más que eso, Joaquín. Te quiero por lo que eres.

Un semáforo. *Ex ministro se fuga de su casa. Ex ministro abandona esposa e hijos. Implicado en caso Scamarone se fuga con su amante.* La que se puede armar. La que se va a armar si el próximo Gobierno realmente decide investigar. Él, nada menos que él, convertido en chivo expiatorio, en objeto predilecto de los ataques y burlas de la Prensa amarilla. *Ex ministro Bermejo metido hasta las narices...* ¿Qué estarían pensando sus cuatro socios en el estudio?

Luz verde y Raquelita diciendo es gente de la ínfima, explicándoles a los chicos que los de esos periódicos, los de esas revistas y los del nuevo Gobierno, en fin, que todos eran gente de la ínfima. ¿Por qué no había besado a Raquelita antes de partir? ¿Por qué no le di el beso del desayuno? Joaquín Bermejo se llenó de preguntas y de rapidísimas respuestas. La había querido muchísimo, la quería siempre muchísimo, Vicky terminaría dejándolo plantado, metido hasta el cogote en el caso Scamarone. Raquelita, en cambio, jamás, cómo lo iba a abandonar por cosas de gente de la ínfima. ¿Y los chicos, Raquelita? ¿Cómo les explicamos a los chicos? Luz roja. Los chicos, Joaquín, saben perfectamente que son cosas de gente de la ínfima.

Luz verde. Gracias a Raquelita no pasaría absolutamente nada y él siempre podría decirles a los chicos todo lo que tienen en la vida se lo deben a su padre, muchachos, aprendan de mí, puro pulso, muchachos, pulso y cráneo, nada más que cráneo y mucho pulso, aprendan eso de su padre.

Llegó al estudio con la imperiosa necesidad de decirles a sus hijos que todo había sido a punta de pulso y cráneo, mucho cráneo, y muchísimo pulso, muchachos. Increíble: ni cuenta se había dado, había entrado en su despacho saludando apenas a las secretarias, apenas un hola a los practicantes, del ex ministro no quedaba más que la Prensa amarilla y un poco de caso Scamarone. Lo primero que hizo fue marcar el número, besar a Raquelita por teléfono y pedirle que les dijera a los chicos que llegaría a tiempo para almorzar con ellos, contigo también Raquelita. Y terminó preguntándole si había terminado ya el melocotón de su desayuno. Eso dijo, sí: el melocotón de tu desayuno y no el melocotón del desayuno de tu anorexia. Y no sintió ganas de matarla cuando ella le respondió que no. Increíble.

Sí, increíble, y algo horrible, de golpe, también ahora, pero tuvo que contestar porque la secretaria le estaba anunciando la llamada de la señorita Vicky con acentito.

—Joaqui, ¿ya leíste *La Verdad*?

—Hasta cuándo te voy a repetir que yo no leo esos pasquines, Vicky.

—Pero aquí tu chinita linda se los lee enteritos, Joaqui.

—Te llamo a eso de las ocho y media, Vicky. El presidente me ha citado a las siete. Te llamo esta noche al salir de palacio.

Le diría que la cita en palacio duró hasta las mil y quinientas, cuando ella lo volviera a llamar, mañana por la mañana. Porque hoy quería un día diferente, porque lo que realmente necesitaba hoy era sentirse en una noche como aquella del jardín, en esa misma noche con su jardín y ese verano, sentirse en todo momento en aquella noche lejanísima del jardín irrepetible...

—¿Me quieres como soy, Raquelita?

—Mucho más que eso, Joaquín. Te quiero por lo que eres.

Pidió que no le pasaran más llamadas que las de palacio. Las de palacio y las de mi esposa, agregó, con las justas, porque ya estaban ahí, porque ya nada podría detenerlos, porque qué ministro no había robado pero sólo a él le había caído lo del caso Scamarone... ¿Para qué, si no, lo había citado el presidente en palacio...? Y ahora ya estaban ahí y era tan feroz el relampaguear de las cámaras fotográficas como su necesidad de confesar por fin el peor de sus delitos. *¡EX MINISTRO TAMBIÉN PLANEABA ASESINAR A ESPOSA! ¡TODO SUCEDIÓ EN LA DUCHA! ¡TIJERITA DE ORO IMPIDE QUE EX MINISTRO MATE A ESPOSA!*

Sollozando, con la cabeza siempre entre los brazos, aunque
ya algo más tranquilo, Joaquín Bermejo continuaba pregun-
tándose qué había sido antes, si el huevo o la gallina. Crono-
lógicamente, casi todo estaba en orden. Y sin embargo... Bueno, braguetazo o no, él también pertenecía a una buena familia y se había casado muy enamorado y con la enorme suerte de que Raquelita, además de todo, perteneciera a una excelente y riquísima familia, cosa que siempre había deseado pero
que poco o nada tuvo que ver con que se hubiera casado por
amor y con suerte, como en lo del huevo y la gallina. Y así nacieron Carlos, Germancito, y Dianita, fruto del amor que lo
unía a Raquelita y fruto del amor que lo había unido a Raquelita, como todo en esta vida, por lo del huevo y la gallina. Que
a su suegro le debiera los doce mejores clientes del estudio
era algo tan lógico y natural como lo del huevo y la gallina.
Y lo mismo habría que decir de la casa que heredó del huevo
y la gallina, porque fue el regalo de bodas de su suegro y de
su suegra. Pero, entonces, ¿qué vino antes: la anorexia de Raquelita o el culo que era Vicky? Entonces, se respondió Joaquín Bermejo, rebuscando sinceridad en lo más hondo de su
ser, entonces vino lo del huevo y la gallina...

...Mucho más fácil le resultó establecer el orden de lo que
vino después y una tras otra fue recordando sus escapadas de
amor con Vicky, sus constantes mensajes del Ministerio a su
casa, señorita por favor pregunte por la señora Raquelita, señorita, por favor llame a mi casa y avísele a mi esposa que una
reunión esta noche... Y Vicky en la otra línea, Vicky exigién-
dole cada día más en la otra línea, bueno, la verdad es que
mejor no le podían estar saliendo las cosas desde que llegó al
Ministerio, y qué mejor recompensa que el tremendo culo que
era Vicky, al Ministerio sí que había llegado por sus propios
méritos, y qué más podía desear Raquelita que un hombre que
era el orgullo de sus hijos, ahora sí que podía decirles a puro
pulso y puro cráneo, muchachos, sí, ahora sí que sí... Aunque
claro, lo de la recompensa no se lo entenderían, jamás com-
prenderían que él necesitaba al menos *eso* contra Raquelita,
porque su madre, muchachos, cómo explicarles... Bueno, pero
a qué santos tanta explicación, quién era él para tener que

andar rindiéndole cuentas a sus hijos, no había llegado a ministro para ponerse a pensar en lo del huevo y la gallina. O sea que esta noche él con Vicky en su *suite* del «Crillón» y ellos en casita y acompañando a mamacita con el melocotón de su anorexia, la muy...

Sí, la muy digna hija de su padre y de su madre, porque no sólo había que ser anoréxica sino caída del palto, además, para creer que con una tijerita podía sentirse segura en una ciudad como Lima. ¿Te imaginas una cojudez igual, Vicky...?

—¿Un be*chito*, mi ministrito?

...Primero fue la locura de la anorexia y uno de estos días se muere de puro flaca. Y ahora, de golpe, me sale con la vaina esta increíble de la tijerita, además. Como para que uno de estos días me la maten de puro cojuda...

—¿Otro be*chito*, mi amo*sshito*?

...Realmente hay que ser caída del palto, además de loca, para andarse creyendo que en Lima, hoy, nada menos que hoy en Lima y tal como están las cosas... Imagínate, Vicky, yo que le tengo la casa rodeada de patrulleros y ella confiando en una tijerita de uñas para protegerse...

—Be*chito* be*chito*...

...Que si la tijerita es de oro, que si es de un millón de quilates, que si con ella se cortó las uñas la virreina, que si su bisabuela y su abuelita, después, que si su mamá se la regaló porque es una joya de familia, en fin. Pero ahí recién empieza la cosa, porque además resulta que algo muy profundo, algo en lo más hondo de su ser le anda diciendo ahora que si alguien se mete con ella en esta ciudad plagada de gente de la ínfima...

—¿Gente de la qué, Joaqui?

—De la ínfima mi amor...

—¿Y eso cómo se come, mi amo*sshito*?

—Eso pregúntaselo a ella, que a cada rato usa la bendita palabra...

—O *chea* que la muy cojuda se cree la divina pomada...

—Lo que la muy cojuda se cree no es cosa que te incumba, Vicky...

—¿*Che* amargó, mi amo*sshito*? ¿*Che* me va?

—No pienso moverme de aquí esta noche, Vicky. Que eso, al menos, quede bien claro de una vez por todas. Lo demás es la historia del huevo y la gallina y no tengo por qué explicársela ni a mis hijos ni a ti ni a nadie...

—Se puso muy *che*rio mi ministrito...

—Nada de eso, Vicky, palabra de hombre, de hombre y de ministro. Lo que pasa es que la muy idiota se cree invulnerable con su tijerita. Es como si sólo creyera en Dios y en su tijerita, y se mete sola por todas partes, cuando yo le tengo terminantemente prohibido salir sin el chófer y un patrullero para que los siga... Pero ésta es capaz de creerse que Dios le ha puesto esta tijerita entre las manos... Nada menos que la tijerita de su familia entre sus manos... Esta cretina es capaz de creerse que Dios...

—Nos la matan y nos vamos pa' Acapulco, mi amo*sshi*to.

—De la madre de mis hijos me encargo yo, Vicky. Que eso también quede bien claro de una vez por todas...

Las noches de amor con Amo*sshi*to siguieron, semana y semana, meses y meses, y pronto serían tres años y Vicky cada vez le exigía más y el caso Scamarone acababa de estallar y a Raquelita no la habían matado ni los tres melocotones de su anorexia ni el andar metiéndose sola por todas partes con la imbecilidad esa de Dios y su tijerita. Como si con Dios, su anorexia, y una tijerita de oro, formaran un escuadrón indestructible. Como si entre su fe en Dios y lo de ser gente decente, gente de lo mejor, y vete tú a saber qué vainas más de ésas... Increíble... Más loca no podía estar la muy cretina... Como si por su linda cara, sus tres melocotones al día, y una tijerita heredada de un fundador de la ciudad de Lima, además, novedad con la cual le salió una tarde, la muy anoréxica, se hubiera convertido en el enemigo mortal, nada menos que en el terror de la ínfima.

El terror de la ínfima, se repitió una mañana Joaquín Bermejo, abriendo al máximo los caños de agua caliente y fría. Bien encerrado en su baño, bien protegido por la cortina de la ducha, necesitaba sin embargo que el chorro de agua sonara como nunca para continuar sin peligro el deleite de andar pensando esas cosas tan inesperadas como incontenibles. El terror de la ínfima, se repetía una y otra vez y sonriente y feliz, como si de pronto hubiera encontrado la solución definitiva al problema más viejo y complicado de su vida. ¿Podría contarle a Vicky lo que se le estaba ocurriendo? ¿Contarle que, en vez de una escapada a México y Europa, podrían seguir juntos el resto de la vida, casarnos, Vicky? No lo sabía, pero continuaba gozando bajo el chorro de la ducha, cantaba mientras Raquelita completamente Raquelita, caminaba tranquilísima por una oscura calle limeña, una calle que él sólo lograba identificar por la muerte de Raquelita al llegar a la esquina. Ahí, en esa esquina, su visión de los hechos, Raquelita sacando su tijerita de la cartera y un negro hampón, inmenso, tranquilo, pagado y preparado, ahí su visión de los hechos era muy rápida pero muy precisa, tan rápida y precisa como la eficacia y la rapidez del inmenso negro huyendo absolutamente profesional... Era sólo cuestión de pensarlo todo hasta el último detalle... Un negro como ése sería facilísimo de conseguir... Lima estaba plagada de negros como ése y Lima estaba plagada de ministros como él...

Fueron los duchazos más felices en la vida de Joaquín Bermejo, y a menudo gozaba diciéndose que, de haber sido un tipo de esos que se ducha sólo una vez a la semana, ya se habría convertido en un tipo que se pasa el día en la ducha. Cerraba la cortina, abría los dos caños, y a cantar se dijo mientras iba dejando ultimado hasta el más mínimo detalle. No había tiempo que perder: con lo del caso Scamarone era posible que tuviera que renunciar al Ministerio y Vicky y cada día le exigía más y él quería darle todo y de todo porque le salía del forro de los cojones, carajo: Raquelita era ya cadáver junto a un charco de sangre y hasta la tijerita de oro había desaparecido, qué tal negro pa'conchesumadre, alzó hasta con la tijerita.

Joaquín Bermejo no sabía por qué nunca se acordaba de contarle sus planes a Vicky. Tampoco sabía por qué éstos desaparecían no bien empezaba a cerrar los caños de la ducha. ¿Tenía eso algo que ver con lo de la almohada y el espejo?

Fastidiado, constató una vez más que el hombre se enfrenta con su almohada, de noche, o con el espejo, cada mañana cuando se afeita, mientras que él era una especie de excepción a la regla porque siempre se enfrentaba con sus cosas bajo el sonoro chorro de la ducha.

Y fue así como una mañana, bajo el chorro de la ducha, Joaquín Bermejo decidió dejarse de aguas tibias, y empezó a cerrar el caño de agua caliente mientras le iba contando a Vicky que un negro inmenso le había enfriado a Raquelita de un sólo navajazo y ahora todos vamos a descansar en paz. Vicky se quedó fría con la noticia pero él nada de abrir el caño de agua caliente porque durante varias semanas tendremos que actuar así, yo, al menos, tendré que actuar con la más calculada frialdad. Joaquín Bermejo se mantuvo firme bajo el chorro de agua fría mientras le explicaba que, en cambio, lo mejor era que ella se hiciera humo hasta que él la volviera a llamar. Eso será cuando todo haya vuelto a la normalidad, Vicky, le dijo, mientras iba cerrando el agua fría y abriendo hasta quemarse el agua caliente para que Vicky pudiera hacerse humo...

El pellejo que duerme a mi lado es inmortal, se dijo, aterrado y hasta respetuoso, Joaquín Bermejo, abriendo rapidísimo, al máximo los caños de agua caliente y fría, la mañana atroz en que supo lo que era despertarse de dos sueños al mismo tiempo. No se explicaba cómo había podido pasarse días y días acariciando la idea de ver a su esposa asesinada. Inmortal de mierda, añadió, porque acababa de saltar de la cama en el instante en que Raquelita, completamente Raquelita, pero completamente Raquelita en un sueño, porque resultó que Raquelita era un esqueleto, guardaba su tijerita de oro mientras un inmenso negro herido huía despavorido...

La corbata. El desayuno. El rápido beso con que se despidió de Raquelita. Su despacho de ministro. Joaquín Bermejo empezó a sentir un gran alivio. No le había contado nada a Vicky, felizmente que no le había contado nada. Por la noche sólo tomó dos copas con ella. Necesitaba regresar temprano a su casa. Necesitaba hacer el amor con Raquelita y que ella se diera cuenta de esa necesidad. O sea que esa noche Raquelita se encontró con un esposo rarísimo. Una especie de Joaquín Bermejo que le recordaba al Joaquín Bermejo de su luna de miel. Después lo contempló mientras se le quedaba dormido pegado a su almohada y no quiso despertarlo cuando en un sueño intranquilo y de palabras deshilvanadas, lo único que dijo claramente fue déjeme en paz Scamarone. Lo dijo tres veces.

De palacio llamaron a las doce para decirle que El Señor Presidente prefería verlo una hora antes, esa tarde, o sea a las seis, y Joaquín Bermejo pensó que con suerte la reunión terminaría también una hora antes de lo previsto. Acto seguido, y de una vez por todas, decidió ponerle punto final a lo del huevo y la gallina, que para estupideces tenía más que suficiente con las de Raquelita, ídem con el caso Scamarone: punto final para siempre, por qué no, a la larga todo se arregla en este país de mierda. Haría, en cambio, una escala en el Club, por qué no, se tomaría el whisky de la reconciliación nacional, por qué no, y juácate, un telefonazo a Vicky Bechito. ¿Por qué no, Joaquín Bermejo? Joaquín Bermejo y Vicky Bechito, *why not*? Claro que sí, como que dos y dos son cuatro, Joaquín Bermejo, chupa y di que es menta. Eso mismo, exacto, dos y dos son cuatro en Lima y en la Conchinchina. Pero de palacio volvieron a llamar media hora más tarde. El Señor Presidente le hacía saber que la cita sería a las cinco. Cinco en punto, agregó la persona que llamó de palacio, o sea que la secretaria del doctor Bermejo también agregó a las cinco en punto, doctor.

Joaquín Bermejo pensó que su retorno al ejercicio del Derecho había sido todo menos suyo, se despidió de los practicantes y secretarias de tal manera que sin despedirse de nadie se había despedido de todos, se dio cuenta de golpe que ninguno de sus cuatro socios había salido a darle la bienvenida, les mandó decir que sin falta mañana entraría a saludarlos en sus respectivos despachos, y abandonó la elegancia de su estudio como un extraño. Los practicantes se miraron entre ellos, entonces las secretarias se atrevieron a mirarse también entre ellas, todos se miraron, por fin, y como quien cuenta a la una, a las dos, y a las tres, exclamaron: ¡Mamita, el caso Scamarone! ¡La que se va a armar, mamita linda!

Entonces sí salieron los cuatro socios de Joaquín Bermejo. Habían estado muy ocupados, a cuál más ocupado en su respectivo despacho, pero ahora, de golpe, como si los cuatro hubieran nacido en Fuente Ovejuna, todos a una en lo concerniente al caso Scamarone, y como si los cuatro hubieran nacido durante la guerra de Troya en lo concerniente a la que se iba a armar. Porque, como el caballo de Troya, el caso Scamarone ocultaba el caso Banco de Finanzas, dentro de éste andaba metido lo de «Seguros Internacionales, S. A.», y hasta dentro de la S. A. hay gato encerrado, según parece, señores. Parecían una caja china chismosa los doctores Muñoz Álvarez, Gutiérrez Landa, Mejía Ibáñez, y sobre todo el doctor Morales Bermejo, porque su Bermejo le venía por parte de madre, pero a mamá el parentesco con los Bermejo de Joaquín le viene por Adán, o sea que cualquier parecido con la realidad es pura coincidencia, mis queridos colegas, y qué tal si lo seguimos hablando todo un poquito en el Club, ustedes qué piensan, porque alguna precaución habrá que tomar.

En cambio a Joaquín Bermejo le era imposible tomar precaución alguna. Sentado ahí, en el aparatoso comedor de su casa, con Raquelita al frente, Carlos y Germancito a su izquierda y Dianita a su derecha, presidía como siempre la mesa, y le preguntaba como siempre al mayordomo qué hay de almuerzo. Pero esta vez no encontró las fuerzas para agregar su eterna broma:

—¿Qué hay además del melocotón de la anorexia de la señora?

Había descubierto el desamparo de presidir para nada y estaba viviendo el vacío interminable de seguir sentado ahí sin poder decir mucho pulso y mucho cráneo, muchachos. Había llegado cuando Raquelita y los chicos se encontraban ya en el comedor y ahora el mayordomo estaba ahí con la fuente de la entrada y acababa de estar ahí con la fuentecita y el melocotón de la señora, y qué difícil se le hacía hablar de cualquier cosa con el mayordomo entra y sale y sus hijos comiendo

lo más rápido posible por los horarios del colegio y Raquelita
con la serenidad de cristal que sólo Raquelita. Y por qué, si eso
siempre había sido así, sentía que eso nunca había sido así,
o era que ahí todos sospechaban algo ya. No, eso sí que no, eso
sí que no podía ser. Y para que no pudiera ser, para que en los
ojos de Raquelita y sus hijos no apareciera la sombra de una
sospecha, habló ministro:

—El presidente de la República me citó esta tarde, a las
siete. Después, me citó a las seis, y por fin ha terminado ci-
tándome a las cinco. En vista de lo cual, señoras y señores, yo
pienso llegar a las ocho. ¿Qué les parece?

—En el colegio dicen que el presidente está rayado —anunció Carlos.

—Se pasó de revoluciones, papá —comentó Germancito.

—Lo que es, es un plomo —concluyó Dianita.

Joaquín Bermejo los miró sonriente. Los miró como si les
estuviera dando la razón a los tres, pero de nuevo como que
se quedó presidiendo para nada, al cabo de un instante. Ahí
estaba, estaba en su lugar de siempre, y así debían haberlo
mirado sus hijos, pero de nada le habían servido sus comentarios contra el desamparo de presidir para nada y el vacío interminable que era no poderles decir nunca jamás lo que en
tres años de ministro les había estado queriendo decir: Mírenme bien a la cara, hijos, a los ojos, mírenme bien y vean cómo
su padre se ha convertido en ministro y cómo se puede convertir en presidente de la República, también, si algún día le da
la gana. Y en un presidente mejor que cualquiera de los que
me eche la familia de su madre, a ver, nómbrame uno Raquelita. Y Raquelita, sonriente, y él, ahora, ahora sí, por fin:
¿Y quieren saber cómo ha sido? ¿Quieres saber, Carlos? Tú,
Germancito, ¿quieres saber? Porque claro que tú también quieres saber, ¿no es cierto, Dianita? ¡Pues pulso! ¡Cráneo! ¡Pulso
y cráneo! ¡Y con el sudor de mi frente! ¡Con el sudor...!

Ahí, en plena palabra *sudor*, arrojó la esponja Joaquín Bermejo. Se había agotado y no había dicho una sola palabra. Su-
daba frío y se había agotado y eso era lo único que le quedaba del sudor de su frente y todo por culpa de la maldita palabra sudor. Eso y algo peor, algo que era como un comentario

a las palabras que, de puro desamparo, ni siquiera había logrado decir. Algo que descubrió al mirar perdido a Raquelita.

Como en lo del huevo y la gallina, con su manera de comer siempre un melocotón, sólo con eso, con comer así un melocotón, Raquelita le estaba diciendo: No, mi querido Joaquín, mi pobre Joaquín, el sudor de la frente no, no entre nosotros, Joaquín. Pulso, si quieres, sí, aunque di más bien esfuerzo, constancia, perseverancia. En cambio eso que tú llamas cráneo, en vez de inteligencia, sí, eso sí, dilo siempre, pero dilo en primer lugar. Ahora bien, Joaquín, nunca se te ocurra volverles a hablar a mis hijos del sudor de la frente y de cosas así de la ínfima. Recuerda siempre que son mis hijos y que de ahora en adelante lo serán más que nunca, Joaquín. O sea que nunca jamás se te ocurra mencionar cosas como el sudor de tu frente, y sobre todo en la mesa. Ni una sola palabra que tenga que ver con el sudor. No se suda, Joaquín, en esta casa no se suda, y menos delante de estos tres chicos...

Entonces Joaquín Bermejo descubrió su gran error, el momento que siempre creyó ser una cosa y que en realidad era esto: que nunca había odiado tanto a Raquelita como en el jardín de aquella maldita noche de calor en que le preguntó si lo quería como él era. Y en medio de tanto odio se encontró con que él también se estaba odiando aquella noche. ¿Me quieres como soy, Raquelita? También él. La verdadera e insoportable respuesta de Raquelita, por último, ahora:

—Te quiero por lo que eres.

Joaquín Bermejo regresó al aplastante boato de su comedor de pronto tan diferente, al trabajo que le estaba costando disimular ante sus hijos, ante el mayordomo, ante el enorme espejo de la consola, ante Raquelita... Ante Raquelita, que sabía mucho más que él, enormemente más que él, y desde muchísimo antes que él, cosas y más cosas sobre el huevo y la gallina.

—Me voy a hablar con mi padre, Joaquín. Ya sabes que detesta el teléfono y que está pescando en Cerro Azul. O sea que, por favor, no te preocupes si llego tarde.

—Te ruego que vayas con el chófer.

—Imposible, Joaquín. El chófer se va a las nueve de la noche y yo a esa hora recién estaré regresando de Cerro Azul. Sólo te pido...

Raquelita dejó su frase interrumpida, para que los chicos no se fueran a dar cuenta de que algo grave estaba ocurriendo. Y se limitó a agregar:

—Voy con mi tijerita, Joaquín.

Desde el otro extremo de la mesa, Joaquín Bermejo la miraba incrédulo, pasivo, como resignado. Observaba silenciosamente cómo ella le sonreía desde el otro extremo del mundo.

—Anda con Dios, hija mía —dijo, de pronto, y los chicos no se dieron cuenta de nada porque papá, con tal de soltar frases así, la del melocotón de la anorexia, por ejemplo, y porque en ese instante Carlos y Germancito se estaban incorporando, ya era hora de salir corriendo al colegio.

Fue la noche con el rabo entre las piernas de Joaquín Bermejo. De palacio había salido casi a las ocho, con el rabo entre las piernas, porque habría caso Scamarone y chivo expiatorio. A las once, con el rabo nuevamente entre las piernas, se sopló media hora de gritos de su suegro, aunque merecía ser chivo expiatorio, no habría caso Scamarone. Todo había quedado arreglado con el presidente y varios ministros y no habría caso Scamarone pero es usted un canalla, Bermejo. Si no fuera porque es usted esposo de mi hija y padre de mis nietos. Otro gallo cantaría, Bermejo, otro gallo. Dele usted gracias al cielo. Dele usted gracias a su esposa. Dele usted gracias a su suegro. Dele usted gracias al presidente de la República. Dele usted gracias a los señores ministros de. Dele usted gracias al cielo, Bermejo. Fueron tales los gritos de su suegro en el teléfono que Joaquín Bermejo no se atrevió a preguntarle a qué hora había partido Raquelita de Cerro Azul. Seguía con el rabo entre las piernas cuando decidió llamar a la Comisaría del distrito porque su esposa no aparecía y ya era cerca de la una de la mañana. Se desmoronó cuando le avisaron que el automóvil se hallaba abandonado a la altura de Villa El Salvador.

Así lo había encontrado Raquelita cuando entró feliz y, en

vez de decirle mi papá te va a matar, lo va a arreglar todo pero te va a matar, le sonrió feliz, encendió todas las luces, lo invitó a sentarse un rato con ella en la sala, y le dijo que se iba a quedar con el rabo entre las piernas cuando le contara.

—He llamado a la Comisaría... ¿Qué ha pasado, Raquelita? ¿Qué te ha pasado?

—Vuelve a llamar a la Comisaría y di que tu esposa está perfectamente. Anda, llama de una vez y ven para que te cuente. Te vas a quedar con el rabo entre las piernas. Tú que tanto te burlabas de ella.

Ella era la tijerita y Joaquín Bermejo volvió a desmoronarse con el rabo entre las piernas cuando Raquelita empezó a contarle que el automóvil se le había parado en un lugar atroz. La verdad, Joaquín, no sé cómo no bombardean esos lugares. Gentuza. Gente de la ínfima que la miraba indiferente mientras ella les daba instrucciones para que hicieran algo más que estarla mirando con esas caras de idiotas. Pobre país, qué gente Joaquín. Flojos, vagos, insolentes hasta cuando se trata de ayudar a una señora. ¿Tú crees que movieron un dedo? Nada, no tuve más remedio que echarme a andar por la autopista. Por supuesto que a nadie se le ocurrió parar a ayudarme, tampoco. Si vieras qué asco de sitio.

—Es una barriada. Villa El Salvador.

—Lo que es, es un asco, una vergüenza para una ciudad como Lima.

—¿Cómo has llegado, Raquelita?

Tú que tanto te burlabas de ella. ¿Qué habría sido de mí sin ella? Si no fuera por ella, en este instante estarías lamentando la muerte de tu esposa. Pensar que mis pobres hijos...

—¿Cómo has llegado, Raquelita?

Y tú que tanto te burlabas de ella. Deberías estar con el rabo entre las piernas, Joaquín. Me pudo haber costado la vida subirme en ese microbús. Qué horror, ni una sola luz y la gente colgando por las ventanas. No sé cómo logré ver el letrero. No había otra solución. Era la única manera de acercarme a casa. ¿Y qué crees tú que pasó, no bien subí? ¡Cómo es esa gente, Joaquín! ¡Qué país! No había pasado ni un minuto y ya me habían robado el reloj de los diamantes. Quién podía ser más que el negro inmenso que tenía parado a mi izquierda. Se creyó que porque era una señora decente. Se creyó que porque en esa oscuridad no se veía nada. Pero no bien me di cuenta de que mi reloj había desaparecido me dije te llegó el momento, Raquelita. No se veía nada en esa oscuridad o sea que aproveché para meter la mano tranquilamente en la cartera. Ahí mismito di con ella. Y la saqué. Si vieras, Joaquín, qué maravilla. Le pegué un hincón en las costillas. Se lo pegué con toda el alma, Joaquín, y ya ves tú, que tanto te burlabas de mí, tú que creías que me había vuelto loca y que me podían matar. Tú que... Pobre diablo. No bien le pedí el reloj me lo devolvió. No hice más que decirle póngalo usted en mi cartera. Bien bajito por si acaso tuviera cómplices. Cobarde. Negro asqueroso. Ya, señora, me dijo, pero ni tonta. Esta gente cree que una va a ser tan bruta como para soltar y guardar su tijerita. Eso es lo que él se creyó pero yo no le saqué la tijerita de entre las costillas hasta que me bajé. ¡Ay qué asco, Joaquín! Límpiamela, por favor. Está toda manchada de sangre.

—No lo puedo creer, Raquelita. Ese hombre te ha podido matar...

—¿Ese tipo de la ínfima?

—Vamos a acostarnos, Raquelita.

—¿A que no te sientes con el rabo entre las piernas, Joaquín...? Ya verás, algún día aprenderás que mientras yo lleve mi tijerita...

—Vamos a acostarnos, Raquelita.

—Primero límpiame la tijerita. No olvides que mañana es otro día y que Lima está plagada de esa gente. ¡Qué horror! ¡Qué gentuza! ¡Gente de la ínfima! Desinféctame la tijerita, por favor.

Cuando Raquelita se durmió, sonriente, feliz, después de una verdadera hazaña, Joaquín continuaba defendiendo al inmenso negro. Lo imaginaba llegando a su casa con una buena herida en el costado y despavorido. Con el mundo al revés. Había intentado explicarle a Raquelita que podía tratarse de un hombre honrado volviendo de su trabajo. Nada. Era un tipo de la ínfima. Se lo había imaginado honrado y obrero y llegando a su casa sabe Dios dónde y se había imaginado una negra y unos negritos escuchándolo entre aterrados e incrédulos. Nada. Era un tipo de la ínfima. Raquelita, le había dicho, yo te pido perdón por lo del caso Scamarone pero reconoce que tú te has equivocado esta vez. Nada. Era un tipo de la ínfima. Y había estado a punto de decirle el tipo de la ínfima, en ese caso, sería yo, pero de nada le había valido. El tipo de la ínfima era el negro.

Y ahora Raquelita dormía plácidamente y Joaquín se decía que ése era el secreto. Ése. Cuando no se sabe, como en el caso del huevo y la gallina, se opta. Y Raquelita había optado. Ése era su secreto. Y era demoledora la fuerza de una tijerita. Claro. Demoledora. Por eso tanta indiferencia cuando al entrar encendieron la luz del dormitorio y el reloj de los diamantes se le había olvidado sobre el tocador.

—¡Raquelita! ¡Fíjate qué reloj tienes en la cartera!

Fornells, Menorca 1985

EN AUSENCIA DE LOS DIOSES

«Sobre el cuerpo de la luna
nadie pone su calor.»

DANIEL HERNÁNDEZ

A Sylvie Giardi y Jean François Berenguel

«Saint Regis Hotel». Su buen bar. Un paso de la Quinta Avenida. Años que lo conocía y que alguien le dijo que ese bar había sido frecuentado por Fitzgerald. No estaba completamente seguro de ello, pero, pensándolo bien, el bar lo parecía... El bar parecía... El bar parecía haber sido... O es que yo... Se pasó la mano por la cara inclinada, como quien intenta borrar una triste y desagradable comprobación, volvió a pasarse la mano por la cara inclinada. Eso lo hizo reaccionar y poner la cabeza bien en alto porque Daughter no tardaba en llegar para uno de esos encuentros de copas y cena en lugares elegantes a los que él la invitaba cuando el dinero...

En el fondo —lo había leído mil años atrás en *Playboy*—, lo que hacía con Daughter era aplicar la barata y estúpida filosofía del *unexpected moment*, o más sencillamente la filosofía de una revista que siempre le resultó desagradable. ¿Quieres mantener tu fama de *playboy* inagotable? ¿Quieres mantener tu *stock* como repuestos que nunca se agotan? ¿Fama de que la máquina está siempre cargada? Entonces, acude al *unexpected moment*. Es decir, en el momento más inesperado te le apareces y mandas tu silbidito. Señales de humo. Se avecina la guerra. Ella se está duchando y pensando en su mamá. Tiene que visitarla en seguida, por lo de papá, pero apareces tú con tu silbidito y corres la cortina de la ducha y adivina adivinanza... *And that's the unexpected moment*. O sea que cuando tenía dinero...

Como ahora en que, una vez más, había llamado por teléfono a Lima. Daughter estaba en casa y una vez más partía inesperadamente a una gran ciudad o al lago Maggiore, sí, la vez pasada fue en el lago Maggiore y su padre sólo bebió «Nebbiolo d'Alba». Ahora era Nueva York, tan inesperadamente como siempre y Daughter estaba haciendo sus maletas y su madre muy fastidiada porque una vez más iba a faltar a la Universidad. Porque su padre había llamado. Porque su padre era así. Porque la hacían feliz las llamadas de su padre. Porque le llamaba Daughter, menos una vez que llamó muy borracho y preguntó por Pureza y se mató explicando que Pureza era Daughter y que Daughter era Pureza, pero ella no quiso oír más tonterías y fue a llamar a la chica. Siempre partía feliz. ¿Hasta cuándo duraría eso? Siempre sería lo mismo. Cada vez que él tenga dinero...

Se pasó nuevamente la mano por la cara y luego cerró fuerte el puño, el codo sobre la mesa, y el mentón sobre el puño para que Daughter le encontrara con la cabeza en alto. Diez minutos. Le costaba trabajo. *The unexpected moment*. Pero en su caso tenía el encanto de unos medios empleados para un fin completamente distinto. Sublimación de una vulgar filosofía... já. ¿Y por qué no? Gracias a esas llamadas tan inesperadas hacía feliz a Daughter, le mostraba lo mejoı de sí mismo a Daughter, y de paso jodía a la madre de Daughter. Cuánto seguía amando a esa mujer que carecía por completo de sentido del humor y que había carecido siempre de objetividad para juzgarlo. Y que lo había juzgado. Pero que lo había juzgado. Sólo que él logró convertir ese amor en pensamiento con el único fin de evitar esos duros pensamientos. No pensaba pues en ese amor. Pensaba sólo en Daughter y ésos eran los medios que utilizaba inesperadamente para acercarse a la pureza. Porque Daughter era Pureza. ¿La poca que le quedaba en la vida? ¿La única? ¿Por qué ahora estos pensamientos? No tarda en llegar Daughter. Cuando tengo dinero...

Se descubrió otra vez cabizbajo. El codo había permanecido

en su sitio, fuerte sobre el mostrador, y también el puño
cerrado y alto. Pero el mentón se le había resbalado y más
bien reposaba sobre la muñeca, se resbalaba incómodo a la
altura de la muñeca torcida y cediendo, más bien. Ni siquiera
se había dado cuenta de esa incomodidad. Pidió otro bourbon y apoyó nuevamente el mentón sobre el puño que tem-
blaba cerrado con fuerza, haciendo fuerza, esforzándose.
Daughter hacía su entrada. Pureza, fue lo único que dijo y sonrió desde el puño. Cuando tengo dinero... *The unexpected
father.* La inesperada pureza. Y lo más rápido que pudo se
las agenció para ya estarle hablando de algo que a Daughter
le encantaba: Tiberias, el beodo que se comunicaba con los
dioses en la majestuosa civilización griega. En la gran antigüe-
dad. Donde el vino era el más viejo signo de civilización. En
la gran tragedia. En la grandeza que fue Grecia. En el esplen-
dor que fue Grecia. Roma sólo fue gloria al lado de Grecia,
Daughter...

Daughter era feliz. ¿Cómo estás, Daughter? Porque linda
sí que estás, Daughter. Como nunca. Cada vez más. Soy un
hombre lleno de orgullo. Inflado, hinchado de orgullo. Me envi-
dian de las mesas. Las cosas que dices, papá. ¿O sea que ya co-
miste y te alojas donde una amiga? ¿Y se puede saber el teléfono? ¿O sea que cancelo la reserva en el «Waldorf»? Puso
el brazo sobre el hombro de Daughter. De paso le acarició la
nuca. Descolgó la mano por el hombro derecho de Daughter.
La tenía a su derecha. *Like a lady.* Suerte, sé una dama conmigo esta noche. Una verdadera dama. Supo que Daughter quería a los dioses y la miraba orgulloso y sonriente. Lo bien que
se estaba portando su cabeza siempre en alto. La perfección
de su pulso imperfecto. Porque si fuera perfecto, qué gracia
tendría entonces pedir otro bourbon para tratar de corre-
girlo. «Martini» seco para Daughter. Eso era algo que detestaba su madre. Que bebieran juntos. Como si eso fuera beber.
Esto es esto y sólo Daughter y yo somos capaces de esto. El
amor por la madre de Daughter era sólo pensamientos que
él podía y solía evitar. Por eso hablaba de *la madre de Daughter.* Por eso pensaba *madre de Daughter* y solía y podía evitar
el pensamiento *esposa* al hablar de su ex esposa. Hablaba, sim-

plemente, de la madre de Daughter. Un amor convertido en
pensamientos. Y de haber estado ahí, después de todo, la madre de Daughter les habría arruinado todo eso... Ex esposa
simplemente no lo habría permitido... Se dio cuenta, de pronto, de que se había distraído, de que se había como... como
ausentado un poquito. Brindó:

—Estaba comunicando con los dioses. ¿Qué mejor manera
de decirlo, Daughter?

—Te entiendo perfectamente, papá.

—Allá en Victoria Falls... Cual Tiresias siglo veinte... Comunicando... Comunicando con el *apartheid* hijo de puta.
Prueba tú también, Daughter... Ráscate por todas partes y
verás cómo no sientes racismo por ningún lado.

—Me encanta, papá.

—Prueba, prueba y verás...

...Victoria Falls, South Africa 1978... *Apartheid* de mierda, pensaba, con mil bourbons adentro mientras contemplaba
la enorme cascada, un montón de cascadas enormes y man-
tenía el control total de la situación en espera de Cornelius.
Se rascaba racismo por todas partes, por joder a la clientela,
y cuando vio entrar la altísima y perfecta silueta de su amigo
poeta, espigado como un massai, como son los negros en
Kenya, aunque en todo Kenya no había un poeta ni un hombre tan grande y bueno y noble como Cornelius. Los líos en que
se ha metido este caballero, se dijo, recordando que lo tenía
que convencer. Que, desafiando a la inmortalidad, lo iba a sacar de ese país de mierda y que iban a llegar a Mozambique y
que literalmente se tenían que cagar de risa ante la presencia
de cada patrulla de la Policía disparando contra su indomable
motocicleta, enorme, roja como el fuego que le latía en las
sienes y en cada vena de su organismo. Su emoción era brutal
y cuando Cornelius se le acercó se puso de pie para besarlo y
decirle que tenían la bendición de los dioses y que si no le
creía era porque no había tomado suficiente bourbon. Como
Tiresias, Cornelius...

—Estoy listo.

—Ayer terminé con la traducción de tu segundo libro.

—Te he dicho que estoy listo.

—Caballero, acabo de darme cuenta de que, en efecto, lo está usted.

Salieron rugiendo de Victoria Falls con ese optimismo que les daba saber que ya habían arrancado y que por más que la Policía les saliera al encuentro mil veces, ya habían arrancado. El bólido rojo tragaba kilómetros y ensordecía la jungla y desaparecía entre la polvoreda seca de los caminos. Llamaban la atención por la importantísima cantidad de cortes de mangas —brazos de honor, prefería llamarlos él— y los primeros disparos ni los sorprendieron, aunque uno de ellos agujereó la cantimplora llena de bourbon en el preciso instante en que Cornelius se la estaba dejando en la mano derecha. Reían como locos y Cornelius recogía del equipaje colgado a la derecha del bólido otra cantimplora mientras él pensaba que resultaba injusto que Cornelius no supiera manejar. Le preocupaba. Turnarse habría resultado más justo: Cornelius allá atrás sería un blanco perfecto para los disparos locos que vendrían de la sorprendida vanguardia, convertida rápidamente en retaguardia por la sorpresa de su paso y de sus brazos de honor. Entonces era cuando realmente reaccionaban y cuando disparaban con un fuego intenso de ametralladoras. Ellos no llevaban ningún arma. Las reglas del juego. Los dioses bastaban. Y las carcajadas y los brazos de honor y la seguridad total de que la meta estaba cada vez más cerca...

Se había calentado el bourbon de las cantimploras y se había enfriado la comida pero por Johannesburgo pasaron matándose de risa y decidieron no hacer ni una sola parada. Aunque el bourbon hirviera. La gasolina era cosa de Cornelius. Tenía su sistema para llenar el tanque. En realidad era una motocicleta-bomba. El sistema era peligrosísimo: latas de gasolina metidas entre las enormes bolsas de comida y bebida a ambos lados del inmenso bólido. Peor que el motociclista suicida del circo y era loca la alegría que les producía todo ese ruido infernal y otra vez la carga de metralletas y muy cerca una nueva carga, rifles esta vez, y apenas los habían dejado atrás, otra vez todas las ametralladoras del mundo, esta vez.

Entonces él dejó de temer por la espalda de Cornelius y ya estaban con los dioses, entre los dioses...

Cruzaron Pretoria con la última cantimplora de bourbon y Cornelius le gritó ¡bestia!, ¡teníamos que tirar hacia el este! Y casi se mueren del ataque de risa que les dio el lujo increíble de haber tirado hacia el oeste con poca gasolina ya y días y noches detrás y, me imagino, le gritó él a Cornelius, que también a este *apartheid* de mierda se le están acabando las balas. ¡Los jodieron los dioses, Cornelius! ¡No te lo dije! ¡No me querías creer cuando nos conocimos! ¡Amigo! ¡Poeta! ¡Esto es vivir! ¡Tus libros los traduciré yo y Carlos Barral te los publicará en España! ¡Carlos también cree en los dioses! ¡Los frecuenta! ¡Varias veces he frecuentado a los dioses con Carlos e Ivonne! ¡Son parroquianos...! Literalmente se cagaban de risa. Gritaban. ¡Los dioses! ¡En todo instante han estado de nuestro lado! De pronto, él vio su mano bañada en sangre, sobre el timón del bólido. No quiso decirle nada a Cornelius. La alzó para acercarla a sus anteojos de gruesas lunas y duro caucho negro. Los había robado en un almacén de la aviación, en compañía de los dioses, mientras Cornelius, innecesariamente, le cubría la espalda. No era grave lo de la mano o era que tenía tal cantidad de tierra en los anteojos que no lograba prácticamente ver qué tenía...

—¡Tu mano! —exclamó Cornelius, millas más adelante.

—No es nada. Un descuido de un dios menor.

—Para. Te ruego.

—Mira adelante: ¡Cómo mierda se te ocurre decirme que pare ahora! Adelante un verdadero escuadrón les bloqueaba la pista. Debieron ser un millón de tiros y otros más por detrás. Él sólo recordaba haber gritado ¡Mozambique! y haberse bañado en lágrimas porque Cornelius allá atrás no gritaba y sí le dieron en la espalda. No habría venganza para ello. Ninguna venganza sería suficiente si a Cornelius... ¡Cornelius! ¿Me oyes? ¡Dime algo! ¡Cualquier cosa! ¡Habla! Lloraba porque en su cintura sentía cómo las manos enormes de Cornelius apretaban cada vez menos. ¡Corneliuuuuuuusssss!

—¡Mozambiqueeeeeee! —se cagó de risa Cornelius—. ¡Vivan todos los dioses!

—Negro de mierda. Hijo de la gran puta.

—¿Y el humor? ¿Y los dioses totales? —Cornelius se mataba de risa.

—Negro de mierda, hijo de la gran puta.

—Gracias, mi hermano.

—Lo hice por la poesía, negro de mierda, hijo de puta.

Se metieron a un bar, secaron una botella de bourbon, él derramó media botella más sobre su mano. Fue un dios pequeñísimo. Sin importancia. Cantaron horas en la ducha de un hotel y, con alguna que otra intermitencia bourbónica, como le llamaba él, durmieron tres días seguidos en compañía de las diosas.

—¿O sea que no te veré mañana, papá? Me puedo quedar un día más, si lo necesi... si quieres.

—Mañana tú eres una señorita que regresa a América del Sur y yo soy un caballero, tu padre, al fin y al ca... que parte rumbo a Ithaca.

Tres horas desde esas palabras que había tratado de meterse al bolsillo como quien busca guardar algo. La chica se había ido. Se arrepentía y trataba de engañarse y de imaginar que la chica seguía ahí. Tenía una particular dificultad para aceptar que Daughter se hubiese ido. Le estaba resultando muy difícil, esta vez. Pero después de todo, se decía, he sido yo mismo quien le dijo que no se quedara un día más. Entonces recordó lo mismo que recordaba siempre. Se acordó de aquella noche en la barra de un bar en que, de pronto, le había dicho a su novia: «Lo que me encantaría es tener un día una hija tan bella como tú, de tu misma estatura, y que tenga una visión más objetiva de mí. Fíjate que la sacaría conmigo de noche y le diría que me había casado solamente para tenerla a mi lado.» Después se iba a reír y le iba a explicar que a su madre no le gustaban esas bromas. Y, en efecto, a su madre no le gustaban nada ese tipo de bromas.

—Y heme aquí —se dijo, con esa voz alta de los borrachos cabizbajos de las barras.

Y Daughter había salido alta y a sus expectativas, porque

tenía todo el encanto del mundo y además vivía como ausente de ese encanto, doblemente encantadora, maravillosa, y además se parecía a su madre pero tenía algo que su madre nunca tuvo y era esa manera en que tres horas antes, por ejemplo, le había dicho: «Si quieres me quedo un día más, papá.»

—Su madre, en cambio, se quedó toda la vida menos.

Pero ésas eran palabras de cabizbajo de barra y entonces pensó que, como los dioses, su hija nunca lo había juzgado y volvió a pensar que era delgada y muy alta y que tenía las manos muy finas y que siempre se querría quedar un día más. Después recordó a la madre de Daughter y, aunque se pasó rápidamente la mano por la cara, ahí se dijo: «La verdad es que los dioses no están conmigo desde hace tiempo.»

Seguía sentado en el bar del «Saint Regis», en la barra del bar del «Saint Regis», y de rato en rato volteaba a mirar el taburete en que había estado sentada Daughter, el sitio en que Daughter podría haber estado... seguido conversando a esa misma hora. Tres de la mañana... ¡Bah...! Ella le había ofrecido quedarse pero él había pensado que estaba ya lo convenientemente borracho como para lanzarse a su nueva aventura. Le había dicho que no se quedara un día más y le había dado mucho dinero y en la oreja le había dicho que la quería muchísimo. Ella se había aturdido un poco, como siempre que él le decía que la quería muchísimo, acompañando todo ese asunto de importantes sumas de dinero. Después se besaron, buenas noches y nada más, porque los hombres no lloran y sus hijas tampoco, Daughter, y él ignoraba dónde vivía su hija, sólo tenía su teléfono en Nueva York, y su hija hubiera preferido que él no saliera de viaje al día siguiente. De eso estaba seguro y cabizbajo. Entonces, mirando siempre el taburete en que estuvo Daughter, dijo: «Ya sé que lo que tú más temes es la ausencia de los dioses.» Y se sintió un poco viejo y con algo de derrota metida en el cuerpo y volvió a mirar a su hija y volvió a mirar a su esposa y pidió un trago más porque quería brindar por la ausencia de su hija y de los dioses. Ya nunca brindaba por la ausencia peruana de su esposa. Después se emborrachó perdidamente.

Tenía ese maldito control que le permitía saber cuándo se

había emborrachado malditamente. Era como una manera de saber hasta qué punto se había alejado de Daughter, a quien en estos casos llamaba siempre Pureza. En el fondo de sus más grandes borracheras, Daughter era Pureza y Pureza era Daughter y eso era todo lo que él sabía sobre sí mismo. Le gustaba ser negligente en este punto y le gustaba, sobre todo, que su hija siempre se hubiese ido cuando él llegaba a ese punto. «Daughter —dijo—, yo te soñé.» Y ése fue el momento en que decidió subir a acostarse porque tenía ese maldito control sobre sus borracheras. Antes... Antes, cuando no lo tenía, era mucho mejor porque inmediatamente los dioses se ocupaban del asunto. Igualito que ese gran beodo que fue Tiresias en la grandeza que fue Grecia. En cambio, últimamente...

...La odisea... Su odisea... Montescos y Capuletos... Un mundo ya histórico en el que vio la cara blanca y pecosa y la nariz respingada de Cecilia que, como él, tenía trece años, y juntos vieron luna llena para siempre y primavera eterna y fue adoración a primera vista. Pero qué familias las suyas pero eso qué importa pero nosotros nos adoramos aquí en la piscina del «Country Club» y nadie nunca nos separará y algún día tendremos tres hijos y dos hijas. Daughter, dice él, y no sabe por qué, jamás sabrá por qué a los trece años se podía sentir toda la ternura del mundo con sólo pronunciar la palabra daughter... Y piensa que la palabra daughter no la ha pronunciado sino que le ha surgido a borbotones desde el fondo hondo del pozo sin peligro alguno de la ternura infinita. Ama eternamente a Cecilia y ella le cuenta que la han abofeteado en su casa de Montescos y él le cuenta que su padre lo ha golpeado brutalmente en su casa de Capuletos y él dice la historia del Perú es una mierda porque, como en Shakespeare, se hizo íntegra para que nuestras familias se odiaran. Y ése es el momento en que él decide cambiar la historia del Perú y esta noche contándole esas cosas a Jaime, su primer, su mejor amigo del «Country Club», beben los primeros whiskies de su vida y él ya está listo y se mete descaradamente protegido por los dioses y metiendo toda la bulla y desafío que quieran, se mete crapulosamente a casa de Cecilia y salta balcones y salta terrazas y golpea ventanas semiabiertas de verano y busca y llega a los brazos de Cecilia en su cama y escribiéndole una carta furtiva de Montescos y Capuletos y ella se pone una bata apenas y escapan en el carro que Jaime se ha robado de sus padres y mil gracias Jaime y se preguntan si los dejarán entrar... Todo está permitido para los nocturnos amantes imposibles, les dice Pepe, el barman, y en el «Ed's Bar» transcurrió su amor maravilloso y nocturno y al alba regresaban a casa Montesco y descaradamente trepaban y descaradamente bajaba él cada noche y Jaime en la barra diciéndole a Pepe uno de estos días los pescan y los matan y Pepe fue quien por primera vez en la vida empleó eso de los dioses: «No te preocupes, Jaimito, los dioses están con ellos...»

O sea que... Al fin y al cabo el bar del «Saint Regis» resultaba no ser un buen bar, porque nunca más había logrado regresar ahí desde el bar de Tom. Nunca más había logrado repetir la hazaña de encontrar el bar de Tom completamente borracho y de pasarse una noche entera maldiciendo a Tom, a su bar y a los alrededores de su bar que para él eran ahora, perdido, el resto entero de Manhattan, porque Tom no tenía el maldito acento inglés. Recordaba la noche en que había jodido la paciencia lo suficiente como para que lo botaran del bar con el asunto aquel de que aquí nunca podré venir con Daughter, banda de canallas sin acento. Ésa había sido una noche con los dioses, todo el mundo había festejado la hilaridad del acento británico de aquel latino y todo el mundo había festejado su amor por Daughter, que entonces tenía solamente trece años, como él tenía trece años cuando conoció a la mamá de Daughter. La conoció en efecto, a esa edad que calificaba de tierna, aduciendo en su defensa inútil que se estaba refiriendo a un lugar común acerca de la edad de los trece años. Ése fue un buen bar, donde acudieron los dioses, y donde también recordó la historia del África del Sur. Les explicaba a los blancos y a los negros de Nueva York, en el bar de Tom, bar de mierda que ahora no podía encontrar, cómo era la vida cuando uno recibe la visita de los dioses y entonces se puso de pie, se puso encima de una motocicleta en seguida, y una vez más en su vida atravesó todas las barreras culturales, raciales, estúpidas, imbéciles, hijas de puta, y la maravilla que eran esos policías disparándoles a Cornelius porque era negro y poeta y a él porque no tenía nada que ver en el asunto. A Daughter le encantaba la historia de su padre, tú padre, Daughter, absolutamente borracho, te lo confieso, con Cornelius, simple y llanamente con Cornelius atravesando South Africa en una motocicleta y las balas y las balas. Daughter siempre le decía: «Te pudieron haber matado, papá.» Y él le respondía: «A mí me gustaría más, Daughter, puesto que de tu educación se trata, que me preguntaras qué fue del pobre Cornelius.» Daughter lo había admirado y querido por esa historia y a él le gustaba muchísimo la idea de que esa historia fuera una historia que él le había contado a Daughter y que ella había retenido para siempre entre esas manos tan largas y tan finas que parecían hechas a propósito para retener una historia tan bella como la de Cornelius y él.

Ya estaba en su dormitorio e hizo todo lo que hubiese hecho la mañana siguiente, precisamente para poderse imaginar cómo iba a ser la mañana siguiente. Iba a ser el teléfono sonando y todas las ganas que tenía Daughter de que él no partiera a esa expedición. La palabra *expedición* fue la que él usó cuando le dijo: «No te preocupes, Daughter, yo sólo voy en busca de los dioses. Y esa uruguaya tan mala sólo me va a enseñar algo más sobre el género humano, que es ese género que nos interesa a nosotros los escritores, salvo en el caso de que nos ocupemos de animalitos, de perros y gatos y elefantes y leones y tigres, que es cuando queremos enseñarle la moraleja a los seres humanos.» Daughter se había reído, y le había dicho por primera vez en la noche, papá, si quieres me quedo un día más. Sintió cierto alivio al recordar el coraje que tuvo al decirle todo eso porque de lo de Cornelius y él en el África del Sur y de lo de Tom y el mal acento inglés de Manhattan, hacía tiempo, y los dioses como que no lo visitaban ahora, por no decir hace tiempo ya, y en cambio esa mujer tan mala lo iba a venir a buscar a la mañana siguiente.

Por eso hizo todo lo que iba a hacer a la mañana siguiente, lo hizo de una vez esa noche para que ella lo encontrara descansado y lleno de fuerzas. Eso, lleno de fuerzas. Le hizo gracia comprobar la situación de ligera superioridad en la cual se hallaba, pues al salir de la ducha comprobó que tenía el bar metido en la habitación y un teléfono en el cual sólo tenía que apretar un botón para que la uruguaya se matara llamándolo desde abajo y el timbre no sonara, sólo una lucecita roja intermitente para avisarle que la uruguaya estaba abajo y esperando y él arriba tendido en su cama y autor de la travesura. La travesura consistía, además, en vestirse tan elegante como si fuera a salir con Daughter, en servirse una copa y varias más, en apoyar el botón que suprime el teléfono y a la uruguaya, y en pasarse la noche entera esperando que esa hija de puta lo llamara desde la recepción. Se moría de risa tumbado sobre su cama, elegantemente vestido, con la corbata ligeramente desabrochada, justo como para poderle decir dos horas después de que ella hubiese intentado comunicarse desde la recepción: «No me di cuenta de que el teléfono estaba desconectado.» Entonces ya tendría el nudo de la corbata en su sitio y las cartas en la mano.

Cuando todo eso sucedió, la uruguaya volvió a tener ese apellido tan horroroso que tenía y él sintió la enorme curiosidad que le había prometido a Daughter por emprender ese viaje. Recordó que a esa mujer la había conocido en Montpellier bajo un cielo azul. Él estaba sentado en un bar de la Comédie con unos amigos, mirando pasar a la gente. Entonces apareció la uruguaya y se detuvo y resultó que conocía a los amigos. Resultó también que venía con su esposo y resultó también que él, al ser presentado al esposo, le dijo: «Mucho gusto, Gary.» Eso produjo una hilaridad total porque el marido se llamaba Dick y porque si había algo que detestaba en este mundo era que lo llamaran Gary. Él trató de aducir un parecido con Gary Cooper, pero Dick se mostró sólidamente partidario de llamarse Dick. Fue la última vez que vio a Dick en una posición de solidez. Después, la uruguaya empezó a decirle que era un gran escritor y a festejar que hubiera confun-

dido a su esposo con Gary Cooper. Y de pronto a él le entró
ese sentimiento muy fuerte de haber cometido un grave error
al llamarle Gary a Dick. Montpellier es probablemente la
ciudad más bella del mundo y esa mujer allí definitivamente
no era la mujer más bella del mundo y además puso una nota
de pésimo gusto al apellidarse Nipsky. El cielo azul de la ciudad, ese cielo que él había visitado con Daughter, le hizo
comprender que esa mujer tenía un poder ridículo, un poder
que consistía en creer que era una mujer guapa metida en una
Universidad norteamericana. Probablemente, seguía metida en
una Universidad norteamericana, puesto que Dick era un profesor de la Universidad de Cornell, en Ithaca, y ella era una
alumna posgraduada que, entre gallos y media noche, empezaba a tener un estatus que debía inclinarse definitivamente
a ser esposa de Dick y profesora en los Estados Unidos y apellidarse Nipsky *per vitam eternam* y su pasado era breve como
tener un apellido horroroso. Como haber nacido en Montevideo, haber tenido dieciocho años con el mismo apellido en
Montevideo, no haber tenido nada más y haber conocido a un
gringo llamado Harry que era profesor en Cornell. Tenía también hermanas, pero *eso* lo incorporaría a los Estados Unidos
cuando ella lograra incorporarse a los Estados Unidos. Cuando
Dick y su esposa se fueron, sus amigos le preguntaron que si
no encontraba que la uruguaya era guapa y él sintió una fuerte
inclinación a decir que no importaba su opinión acerca de
esa mujer. Al día siguiente tomó el tren y regresó a París.

Su trabajo en el libro estaba bastante avanzado y no tenía
ganas de responder cartas, cuando llegó la primera carta de
esa Nipsky. Volvió a pensar que tenía el apellido más feo de
la tierra, siendo el Uruguay tan linda tierra, además, pero recordó también a Dick y que le había llamado Gary en vez de
Dick. Probablemente por eso respondió a la carta. Sí, fue por
eso que respondió la carta, porque en vez de Dick le había llamado Gary a ese norteamericano en el cual detectó un cierto
desequilibrio, ese típico desequilibrio de un hombre que los
dioses han dejado de visitar. Los dioses de mala calidad que
probablemente lo habían visitado cuando conoció a la joven
esposa de un profesor subalterno en el campus de Cornell...

...Bessèges, 1982. Porque los míos son unos dioses de primera clase, Jean François. Verás, Sylvie, mis dioses viajan en primera por el cielo infinito... Dile a los mexicanos que vengan a ver cómo desafío a la inmortalidad... Diablos, Dulce, Dante, cómo mierda se puede ser mexicano y llamarse Dante y Dulce... Miren, mira, Jean François, mira cómo mis dioses me permiten desafiar la inmortalidad... No seas loco... ¿Loco yo? Pero es que ustedes no saben nada de los dioses... El peruano lleva media hora echado y bebiendo en una curva cerrada de la carretera y se niega a levantarse... Tres días seguidos apostó a que se echaba tres horas seguidas en la misma curva y no habría carro que pudiese con él... Le mentaron la madre como cincuenta mil veces pero no hubo auto para él y por la noche se pasó todas las noches, los tres días... Seguía contándole Jean François a su hermana, aterrada, que el tipo realmente había desafiado a la inmortalidad porque en Bessèges nunca nadie se había metido jamás con el *videur*, la bestia esa que la discoteca ha contratado para casos de pelea o de algún borracho metiéndose con alguna chica o algo así y el monstruo ese dicta la ley, aplica brutalmente su ley, para eso lo han contratado, para eso le pagan y el peruano tuvo a toda la discoteca entre risas y terror porque no cesó de desafiar al *videur* a ver quién toma más y el matón como que no se atrevía con tanta popularidad y andaba completamente intimidado y él dale con ofrecerle tomar en su amable compañía, señor, y el matón apenas si logró alzar la cabeza de pura vergüenza y ningún sentido del humor... No, no se trata de eso, Jean François, lo que pasa es que éste es un diosote de pésima calidad, un Anteíto... Dulce, Dante, Jean François y Sylvie se matan de risa y también han venido a ver a los padres de Jean François, ellos los habían invitado a su pueblo y en el camino de Montpellier a Bessèges se detuvieron en casa de la abuela española de la guerra civil de Jean François y él la hizo llorar de felicidad con canciones de la España de siempre y a la abuela la que más le gusta es *Cuando en la playa la bella Lola, su linda cola luciendo va, los marineros le gritan Lola,*

y hasta el piloto pierde el timón... Ay qué placer sentía yo,
canta la abuela... Ah!, ce peruvien...!

El teléfono llamaba y llamaba con su lucecita roja intermitente, pero a él le encantaba la idea de que la uruguaya se
estuviese pagando el desayuno. Después tocaron la puerta.
Después pensó en Daughter y se dijo, Daughter, en la que me
he metido. Después habló en la intimidad con Daughter y le
dijo: «Es probable que de esta aventura salga algo profundamente ridículo. Mira, Daughter, agregó, en esta aventura no hay
policías en Sudáfrica disparando contra la moticicleta en que
íbamos Cornelius y yo. Mira, Daughter, añadió otra vez, ya no
logro alcanzar ese vuelo que me permitía encontrar a Tom
en un bar de Manhattan y probarle que todo Manhattan habla
con un acento que no me gusta porque no es inglés.» Entonces, vestido para salir esa noche, comprobó que eran las diez
de la mañana y que había estado despierto toda la noche. Le
dijo Pureza a Daughter, repitió esa palabra, Pureza, y apretó
el botón para que el teléfono empezara a interrumpirlo.
—Ricardo, llevo horas llamándote.
—Creí que no venías. Sé por el parte metereológico que
todo el Estado de Nueva York está helado.
—Sí —le dijo ella—, pero mañana tienes que dar tu conferencia en Cornell y...
—¿Y tú cómo has llegado desde Ithaca?
—Me trajo Bob.
—¿Hope? —dijo él, porque ella era capaz de haber llegado
con Bob Hope. O de haber llegado *hasta* con Bob Hope. Y desde Montevideo.
La Nipsky hija de la gran puta pretendió no saber quién
era Bob Hope y dijo: «Bob Davidson. Es un profesor muy importante.» Entonces él le preguntó: «¿Cómo está Gary?» Y ella
le dijo que su ex esposo se llamaba Dick, y que si no lo recordaba, porque siempre cometía el mismo error. Entonces él le
preguntó: «¿Y cómo se llamaba tu primer esposo, el que te
sacó de Montevideo?» Después pensó en ese pobre primer esposo que no sabía lo que era un apellido tan feo. Después pen-

só en todo lo que había bebido durante la noche. Después pensó en Daughter, y dijo Pureza y decidió que había llegado el momento de emprender el viaje a Ithaca. Dantesco, fue lo último que dijo.

Apareció en el hall del hotel con un mínimo de equipaje y por supuesto pagó el taxi que los llevó hasta el aeropuerto. Y, por supuesto, también, que de ese aeropuerto no salía nadie porque se había helado el Estado de Nueva York. Le hizo gracia pensar que el hielo lo iba a ayudar, que no llegaría a dar su conferencia. Pero hacía como siglos que esa mujer de apellido Nipsky había hecho un arreglo personal con el hielo, y de ese arreglo dependía el que él llegara a tiempo para la conferencia. En el aeropuerto los norteamericanos de la ciudad cosmopolita empezaron a volverse gente provinciana con gran capacidad para conducir sobre pistas heladas, pistas sobre las cuales todo el mundo declaraba ser un gran piloto, pistas congeladas. Él ya se había metido al bar y había tratado de que lo acompañara también Jeff, el candidato a chófer elegido por Nipsky, pero Jeff parecía estar dispuesto a ocuparse del irresoluble problema de encontrar un automóvil, alquilarlo, dividir los gastos entre los futuros ocupantes, a fin de seguir al pie de la letra las instrucciones de esa uruguaya que, bajo el cielo gris y sobre la nieve total de la ciudad enorme, de pronto él, desde el bar, empezó a encontrar ridícula, arribista y algo más. Recordó cuando la había conocido, en esa avenida preciosa de Montpellier, entre excelentes amigos, y le pareció que no solamente no era una mujer bella sino que, además, era una mujer absolutamente negada para el amor.

Consiguieron un automóvil para las ocho de la noche y Nipsky consiguió también una hermana para entretenerlo, y desde ese momento él empezó a verlo todo más claro que nunca. Esta mujer tan mala, se dijo, ya sacó a una hermana del Uruguay, y como ahora se va a comer al tercer gringo de su carrera universitaria, no puede desperdiciarlo por un pobre escritor de paso, motivo por el cual, siguió pensando, me coloca a la hermana. Encontró profundamente estúpido, cursi, huachafo y toda la cólera del mundo que esa escena tan visiblemente latinoamericana tuviese lugar, estuviese teniendo lugar en el aeropuerto de Nueva York, y sintió definitivamente la ausencia de los dioses. Después se dijo que Daughter ya se habría ido. Después pensó que a lo mejor todavía no se había ido y llamó a casa de la amiga donde había ido a dormir y le dijeron que había partido un par de horas atrás. Entonces él recordó que no había preguntado adónde iba y se interesó enormemente por saber adónde había ido Daughter. Le dijeron que no sabían. Entonces se dijo que en avión no podía haberse ido y que nunca sabía a dónde iba Daughter. Después se dijo que Daughter tampoco sabía nunca a dónde iba él. Después se dijo que Daughter, bien lo sabía, se iba a América del Sur. Y después se dijo que en ese plan y sin los dioses...

1978. En dirección a Sigüena. Esteban Pepe le dice que el nuevo obispo se niega a cumplir con la tradición... Él se mata de risa y buscan por todo el camino una mula blanca... Se ve que el whisky ha entrado por fin a España, Esteban Pepe. Tío, es la mejor bebida del mundo... ¡Tío, la mula! Llegan a Sigüenza y avisan pero el obispo se niega definitivamente a cumplir con la tradición. ¿¡Definitivamente!?, exclama Esteban Pepe, mientras se tragan las migas de pan y esperan el cordero de Sigüenza y el vino en la bodega del tío Juanito que se quedó sin pelo de puro sifilítico y por mujeriego y ahora reparte copas entre mesas bellas de mármol de la España de Jovellanos, de Esteban Pepe, de Cervantes. Esteban Pepe goza cuando él le dice tú eres la España profunda, Esteban Pepe, y responde vale, tío, y sus ojos brillan de felicidad y lágrimas y su nariz de espolón, talmúdica, asombra al peruano que ha traído a Sigüenza, al amigo de Esteban Pepe y su nariz de espolón y los ojos más llenos de cariño del mundo y lo talmúdico hace que el peruano lo quiera más, tío, y entonces se van a contemplar la estatua más bella del mundo y ante el Doncel de mármol de la espléndida catedral, Esteban Pepe, con los ojos bañados de lágrimas, toca, acaricia a su Doncel y le pregunta a él: ¿a que no sabes qué está leyendo el Doncel, tío?, y él sin pensarlo dos veces, con verlo ahí apoyado, casi echado con el libro de mármol, responde: Esteban Pepe, a quién más va estar leyendo, sólo a don Jorge Manrique, y Esteban Pepe orgulloso y chino de felicidad porque el peruano se lo sabe todo y el peruano le dice mira la puerta, la puerta de la sacristía: esto, mi querido Esteban Pepe, tío cojonudo, esto fue regalo del Perú a tu catedral y para que lo colocaran nada menos que en el lugar en que descansa tu Doncel. ¡Qué puerta, tío!, exclama Esteban Pepe, comprobando que en efecto viene del Perú y que ya es hora de lo del obispo. A pedradas lo mandaron subirse a la mula blanca y el obispo ya era un verdadero obispo de Sigüenza, joder, tío, haberse negado a cumplir con la tradición... No quisieron dormir en Sigüenza y se equiparon de whisky para el regreso a El Escorial y qué mierda tuvo que hacer ese árbol, tremendo árbol en su camino. Esteban Pepe encerrado en el automóvil en llamas y lo bien que los trató la Guardia Civil cuando él les dijo señores, se quema vivo mi amigo Cervantes, se quema Jovellanos, señores, pero la España profunda y Esteban Pepe, nada: yo sólo bajo de aquí si me sirven otro whisky, la mejor bebida del mundo, tíos... Los cosieron y los enyesaron en El Escorial pero la fractura de Esteban Pepe era tan importante como su perseguidora, a la mañana siguiente, y tenían que llevarlos a Madrid, pero por favor, señorita, una cerveza, qué resacón, tío, y la enfermera prohibido beber en la clínica, señor Pepe, y Esteban Pepe comprenda, señorita, por favor, qué resacón, tío, y nada que hacer y la fractura de Esteban Pepe es tan importante como el resacón y los trasladan en ambulancia a Madrid, al Hospital Provincial, y Esteban Pepe yace en su camilla y él al lado y qué resacón, peruano, tío, por favor, una cerveza, no hay nada que hacer, Esteban, pero tío... Y entre alarmas y sirenas pasan por delante del automóvil chamuscado, no servirá ni para chatarra, peruano, yo creo que tú sólo te compras esos cochazos para desafiar a la inmortalidad. Y sirenas alarmas y luces rojas que brillan en mil direcciones: es la ambulancia que cruza Madrid rumbo al Hospital Provincial y Esteban Pepe qué resacón, tío, y él, bueno, Pepe, no hay peor gestión que la que no se hace y le pide, le explica al chófer que apaga sirenas y faros rojos que giran y brillan en mil direcciones y se baja el chófer, España Mágica, Sagrada, les llena la ambulancia de cerveza y otra vez alarmas y luces y sirenas y él les cuenta de ese turista del libro de Cocteau, *La corrida del 1.º de Mayo*, que al llegar a España cayó fulminado por lo pintoresco y saben por qué escribió Cocteau ese libro, para curarse del todo del infarto que le dio cuando llegó a España y se fue a toros y le brindaron el primero de la tarde... Se matan de risa... El chófer se mata de risa pero al llegar a la clínica se niega a aceptar la propina y por favor, señores, eso sí déjenme las botellas vacías porque me pueden echar del trabajo... Se matan de risa pero recuerdan al chófer... Por lo que se matan de risa es porque Esteban Pepe, señor de la democracia, que anduvo jodiendo la paciencia por el parlamento la noche del 23-F, había salido del «Oliver» diciendo que el whisky, tío, era la mejor bebida del mundo y por ahí se enteró de lo que ocurría, con el codo empinadísimo, y fue por la democracia, o sea que, por favor, doctor, no me opere, no, no me opere, doctor, ustedes no sólo matan a sanos, matan a enfermos, también, y el médico gran amigo del «Bar Oliver» se mata de risa porque Esteban Pepe se está quedando dormido en la misma cama en que estuvo Francisco Franco...

Vinieron a buscarlo al bar esa mujer, que ahora él llamaba esa mujer tan Nipsky y el chófer llamado Jeff, que él ahora llamaba el Holiday on Ice de esa mujer tan fea y tan mala. Pero no los dejó intervenir en ese asunto tan personal que era la manera en que se sentía. Sentirse de esa manera era problema suyo y no los dejó intervenir en el asunto y, pensando en Daughter, dijo Pureza y secó uno tras otro dos vasos de bourbon. Ellos se mantuvieron calculadamente respetuosos de sus pasos y de sus tragos. Mejor dicho, ella se mantuvo así y él se mantuvo así por culpa de ella. Entonces Nipsky habló de su hermana y él le juró que no se movería del bar si la iban a traer.

Dos horas más tarde, asegurado ya todo lo del automóvil para el camino a Ithaca, y habiendo pagado él, por supuesto, el viaje en automóvil hasta Ithaca, y habiendo pensado él, también por supuesto, que los billetes del avión se los haría rem-

bolsar Nipsky y se los guardaría, puesto que ya estaban paga-
dos por la Universidad, aparecieron con la famosa hermana.
Otra Nipsky, pensó él, al verlos acercarse. Era como de clase
muy media y algo menos Nipsky que su hermana, por lo cual
encontró plenamente justificado el que hubiera salido de Montevideo en segundo lugar. La segunda de Montevideo se le acercó completamente yanqui y como pasando por alto que él
fuera de un país hermano, llamado Perú, que fuera escritor y,
lo que es peor, pensó él, que hubiese establecido desde el primer momento una relación absolutamente alcohólica con ella.
Él se despidió para siempre de Daughter, de Cornelius, de Tom,
de Cecilia y de Esteban Pepe, y luego se dijo también adiós a
sí mismo. Pensó en la cantidad de latinoamericanos que, en
una circunstancia igual, hubiesen tenido que ser seductores, y
en la remota posibilidad de tener que convertirse en amante
hasta eso de las siete de la tarde, porque a las ocho, eso sí,
salían en automóvil rumbo a Ithaca. A las ocho de la noche,
lo que en realidad estaba haciendo era pagar una importante
cuenta de almuerzo y numerosas copas en el «Hotel Plaza».
Nipsky I había dicho que estaba de moda almorzar en el «Hotel Plaza». Nipsky II lo había festejado, Holiday on Ice no había dicho nada y él había visto el cielo abierto en el bar del
«Hotel Plaza».

Ahora ya estaba camino de hielo a Ithaca en automóvil, tras
haberse despedido de Nipsky II, al son de una canción que él
le había cantado y cuya letra a ella le había encantado y la
había hecho rememorar. Cien veces le había tenido que ento-
nar la maldita canción, y cien veces ella la había vuelto a olvidar y le había pedido que la cantara de nuevo. Y lo peor
de todo es que la había cantado de nuevo. Para hacerles saber
que les había declarado la guerra, para hacerles saber a las
hermanitas Nipsky y a ese pobre gringo cuánto podía llegar a
despreciarlos, él entonaba la canción, pero también sentía, y
eso era lo realmente malo, que ya no había nada que hacer con
los dioses. Extrañó a Daughter, pero tampoco, se dijo, tengo
derecho a extrañar a Pureza. Entonces encontró, como en el
asilo de su propia borrachera, una excusa, y le dijo a Daughter: «Mira, Pureza, lo mejor de todo esto es que tú no me

puedes ver así. Mira, Daughter, repitió, yo estoy obligado a venir a ver cómo salen mal las cosas, como esta mujer no solamente es Nipsky sino que es estúpida, y fea, y es inmoral. Yo estoy obligado a ver, y aquí está el secreto, Daughter, yo estoy obligado a saber y a ver qué fue de sus primeros esposos. Mira, Daughter, concluyó, yo estoy obligado a tener que contarle a la Humanidad acerca de esos pobres yanquis.» Después se dijo que ya no sabía si eso era verdad, si la literatura era verdad, y que se había alejado mucho de su primera entrada a un bar con Daughter, el día que cumplió cuarenta años. Ese día le había contado cómo su madre se había molestado muchísimo cuando le dijo quiero tener una hija para que sea linda como tú cuando yo tenga cuarenta años y llevarla a un bar y tomar una copa con ella, que en principio tendrá dieciocho años. Su novia había reaccionado muy mal y esa noche abandonaron el bar como no entendiéndose mucho en muchas cosas.

Sabía que no le iban a dar una sola copa durante el viaje. Sabía que no se iban a detener hasta que no tuvieran hambre de un buen desayuno, o sea que se esperó hasta que llegara ese momento. Pagó el desayuno, por supuesto. Y un par de horas después ya estaban en casa de Ray, a quien él bautizó con el nombre de Ray Next Husband, traducción al inglés del próximo marido Nipsky. Un par de horas que le habían permitido enterarse, porque la Nipsky se lo dijo, de que entre esos pinos nevados estaban las casas de Harry y de Dick. Él sintió enormes deseos de visitar a Dick, de preguntarle cuánto dinero le pasaba al mes a esa mujer tan miserable, pero ella misma le contó que el alquiler de la casa se lo pagaba Harry, y que acababa de comprar un automóvil con el dinero que le pasaba Dick. Después fue particularmente cuidadosa con el hijo de Next Husband, que acababa de ser abandonado por su esposa. Y después él se imaginó que el tipo terminaría algún día en una casa pequeñita, llena de botellas, con un niño, y que ella habría escalado un puesto más en el escalafón de su cuarto esposo Nipsky. En fin, que en todo caso ella estaría muy cerca ya del corazón de Cornell University. Pidió una copa y Next Husband le hizo saber que ahí no había copas. Final-

mente, preguntó que quién lo había invitado a esa maldita
Universidad y el mismo Next le hizo saber, por toda respuesta,
que ahí no había más copas.

Después, cuando cruzó el campus helado de la Universidad,
resbalándose sobre la nieve mientras Nipsky no se resbalaba
nunca y Next caminaba con el aplomo del optimismo, escuchó las explicaciones que se le brindaban como a huésped
distinguido. Eso fue cuando Nipsky le contó que era una Universidad de gente muy rica, pero que desde ese puentecito
sobre el riachuelo helado se batían récords de suicidios anua-
les.

—Me imagino que contigo aquí los suicidios van a aumen-
tar —le dijo él, en venganza suprema, y se aplaudió como loco.
Pero como ésa era una manera de calentarse las manos heladas, ahí nadie se dio cuenta de nada y su venganza se convirtió en hielo entre el hielo.

Después lo llevaron a pasear por la administración y él se
iba riendo de oficina en oficina al darse cuenta de que no estaba programado. Su conferencia no estaba programada, y ahí
lo único que había programado era que Nipsky dictase sus
primeras clases de posgraduada. Había sido alumna de su primer esposo. Se había graduado con Dick, y sus primeras clases las estaba dictando gracias a la benevolencia de Next. En
cuanto a su Nipsky II, también gracias a Next, había logrado
sacarla de Uruguay y ahora trabajaba en un Banco de Nueva
York. Lo malo en todo este asunto fue el encuentro con el
profesor Harrison. Ahí nadie había calculado el encuentro con
el profesor Harrison, y lo último que habría podido imaginar
el pobre profesor pelirrojo era que ese escritor que él creía
tan importante y sobre el cual estaba dictando un curso de
posgrado, apareciera en ese estado de decadencia física por
Ithaca. Pero él mismo se encargó de arreglar el asunto cuando
le dijo: «Mire usted, profesor Harrison, yo estoy aquí gracias
a una invitación personal de mi amiga, y si a usted no le
molesta, puedo improvisar una conferencia. Ya estoy aquí,
puedo improvisar una conferencia.»

No pudo impedirse una pequeña broma y añadió: «Mire,
profesor Harrison, la señorita Nipsky me ha invitado a su

casa y yo estoy aprovechando la oportunidad para improvisar una conferencia. Piense usted que es muy importante para un escritor como yo haber improvisado una conferencia en una Universidad como ésta. Démosle gracias a los colegas aquí presentes y ahora déjeme, por favor, improvisar una conferencia. Lo que sí le agradecería, profesor Harrison, es que antes de improvisar mi conferencia, gracias a la amable invitación de la señorita Nipsky, que sin duda ha actuado bajo la supervisión del profesor Next Husband, es que usted me invitara una copa o dos o tres, porque la señorita Nipsky no tiene ninguna reserva alcohólica en su casa. Es más, se me ha declarado miembro de alguna secta religiosa que no bebe, cuando la religión en Uruguay es que uno bebe, sobre todo cuando festeja una llegada tan accidentada como la mía. Hemos triunfado sobre la nieve, hemos alquilado un automóvil, hemos pasado delante de las casas de los anteriores profesores Nipsky, y ellos sí deben tener algo que beber y seguro por eso, para que yo pueda improvisar mi conferencia, la señorita no ha querido que nos detengamos en los únicos lugares no accidentados de la carretera.»

El profesor Harrison miró con indiferencia por una ventana y siguió pensando en los libros de aquel escritor que era mucho más divertido visto de lejos que de cerca. No tenía más poder que el profesor Next Husband, o sea que la conferencia tendría lugar. Sin embargo, no pudo reprimirse y le dijo a Miss Nipsky: «Tenga usted la amabilidad, por favor, la próxima vez, de no improvisar hasta tal punto las cosas.»

Avanzaron por el corredor, llegaron hasta una sala y ahí él vio un papel escrito a mano que anunciaba el título de su conferencia. Entonces volteó a mirarla y dijo: «O sea que es de esto que tengo que hablar.» Y de eso habló, pero no sin que antes el profesor Harrison le pusiera un vaso y una botella de bourbon sobre la mesa de conferenciante. La amena charla duró lo que duró la botella.

Los alumnos aplaudieron calurosamente y después lo llevaron nuevamente a la administración. El profesor Harrison había desaparecido y él seguía pensando que ésa era una situación realmente divertida y que estaba a punto de encon-

trarse con los dioses nuevamente. Se dijo que si se encontraba
con los dioses nuevamente tendría una maravillosa historia
para contarle a Daughter. Una de esas historias que justifica-
ban que él hubiese deseado encontrarse con Daughter sólo
de vez en cuando y en circunstancias muy especiales.

En una oficina le pagaron finalmente cien dólares y nadie
sabía muy bien a título de qué le estaban pagando esa suma
de dinero, pero Nipsky como que lo iba dulcificando todo por
el camino, y en todo caso la presencia del profesor Next Husband, con quien ella anunciaba próxima boda, hacía que ahí
nadie mirara el asunto con malos ojos. Lograron llegar a tiempo a un Banco, pues a Nipsky le entró un desesperado afán
de que él cobrase su cheque lo más rápidamente posible. Él no
lograba imaginar qué tanto interés tenía ella en que viera los
cien dólares convertidos en billetes y preguntó. La respuesta
fue que necesitaría dólares para gastarlos en un pequeño comercio que tenía montado la esposa del profesor Harrison,
un pequeño taller donde vendía sus propios cuadros inspira-
dos muchos de ellos en la flora peruana. Entraron amabilísi-
mos y la señora Harrison les enseñó uno tras otro los dibujos
de plantas exóticas que había acuareleado durante una intensa visita al Perú. Le contó a él lo intensa que había sido su
visita al Perú, mientras le iba mostrando una tras otra las
plantas que había pintado intensas, con sus nombres escritos
debajo en latín, inglés y castellano. Y Nipsky lo iba alabando
todo y preguntando el precio de cada flor. Cuando sumaron
cien dólares de flores en latín, en inglés, y en castellano, él
depositó sus billetes sobre el pequeño mostrador y le dijo
a misses Harrison: «No es necesario que me las ponga usted
en un tubo protector. Átelas con una cuerda, señora, y yo me
las llevo así hasta el Perú.» Después bromeó que así podría
compararlas con la realidad de las flores peruanas, con sus
originales. Y después se despidió sonriendo y pensando que
si Daughter estuviese todavía en Nueva York, le habría contado el origen de las flores peruanas y que se hubiesen matado
de risa juntos. Después pensó que Daughter ya no estaba en
Nueva York y se aferró a sus flores, al rollo de sus flores,
como al asilo de su malestar, y pidió un trago y supo que

no se lo iban a dar porque sobrepasaba la suma de cien dólares que la Universidad le había pagado por esa conferencia.
Entonces recordó que los aeropuertos estaban helados y que
no podría regresar a Nueva York. Sabía que tenía que arre-
glárselas y los obligó, con violencia, a que lo acompañaran
al aeropuerto para averiguar de qué lugar secundario podía
intentar despegar. La gran noticia fue que el aeropuerto de
Nueva York había sido abierto nuevamente al tráfico de aviones pero, en cambio, el pequeño aeropuerto del cual tenía
que despegar seguía clausurado. Ajá, dijo, y sacó un importante fajo de billetes de un bolsillo y le ordenó a Nipsky:
«Mira, guárdate esto porque no todos los escritores son como
yo. Y a otros tendrás que comprarles unas botellas para
invitarles. Y este dinero te va a servir a ti para eso y a mí
me va a servir para largarme de aquí.»

Así fue como logró subir a una avioneta en el aeropuerto
de Syracuse. Trató de animarse un poco explicándole la situación a Daughter y contándole cómo había sido testigo de
tanta monstruosidad y la avioneta de ocho plazas despegó
del helado aeropuerto de Syracuse, llena de norteamericanos
grandes de negocios que no cabían en sus asientos y que no
se imaginaban qué hacía ese hombre que hablaba en voz alta,
ni a qué se refería cuando decía constantemente Daughter,
Nipsky me ha traído de contrabando para lucirse ante los
alumnos, ante los profesores, ante el pobre Next Husband,
sin darse cuenta de que yo vine hasta aquí solamente para
visitar a Dick y ahora me estoy escapando porque es imposible visitar a Dick, porque todo es imposible, porque todo está
helado, y porque lo único que le puede caer bien a una Nipsky
tan frígida es esta cosa helada que se llama Cornell y este
cálculo helado que me llamo yo y que ahora, Daughter, está
metido en una avioneta con unos gringos enormes de negocios, en un mundo congelado donde una mujer frígida logrará ser el único sobreviviente de tres tragedias: la de su
primer y segundo esposo, Daughter, y la de un pobre tonto,
divorciado y con un niño, que ella ya empezó a cuidar demasiado. No sé más de Cornell, salvo que es una universidad con
un índice muy alto de suicidios y que hasta aquí ha llegado

esta mujer, con la esperanza de que algún día todos los profesores que están en rangos superiores se suiciden casándose con ella para poder llegar a invitarme de nuevo. Pero mira, no creo que me invite de nuevo. En esto me equivoqué, me equivoqué otra vez, Daughter. Pero fíjate, de algo sí que me he enterado. Me he enterado de que éste no es un buen viaje. Me he enterado de que tuve que hacerlo porque no quería prolongar tu estancia en ese bar. Porque no podía prolongarla, mi querida Daughter. Pureza... La obra se ha deteriorado y tal vez tu madre tuvo razón cuando me puso una cara de cuatro metros porque le dije que quería tener una hija muy bella y de dieciocho años para tomar una copa con ella en un bar y para que tuviera una visión más objetiva de mi persona.

Del aeropuerto pensó llamar a la casa en que había estado alojada Daughter, pero Pureza ya se había ido y se encontró con una moneda en la mano para llamar por teléfono. Entonces recordó que tenía el número de Nipsky II, del Banco en que trabajaba. Llamó y preguntó por ella y, al instante, reconoció la voz alegre y coqueta que le preguntaba cuál era la canción esa que ella nunca lograba recordar y que era tan divertida y que por favor se la entonara. Y una vez más él empezó a cantar:

No puedo tomar café
Porque el café me quita el sueño
Sólo puedo tomar té
Porque tomando té me duermo.
El doctor que a mí me ve
Exclama con mucha guasa
Que yo sólo sonaré
Cuando té tome en mi casa.
Y en efecto té tomé
Y tan dulce lo sentí
Que estaría todo el día
Que estaría todo el día
Tomando té, tomando té.
Que estaría...

Colgó pero siguió cantando, con la absoluta seguridad de que Nipsky II estaba esperando que la llamara de nuevo porque se había cortado la comunicación. Entonces supo que los dioses se habían ausentado para siempre y supo también que él los seguiría buscando en bares como los del «Saint Regis» pero que no todos los días tendría la suerte de que Daughter le ofreciera quedarse un día más. Y que le había costado caro saber qué era lo opuesto a la palabra Pureza.

Cap Skyrring, Senegal, 1985

UNA CARTA A MARTÍN ROMAÑA

Quienes hayan leído *La vida exagerada de Martín Romaña*
o *El hombre que hablaba de Octavia de Cádiz,* recordarán
tal vez que algunos personajes, entre los mencionados por
Martín Romaña, desaparecen sin que el lector vuelva a tener
noticia alguna de ellos. Y aunque su autor reunió ambos libros bajo un solo título, *Cuadernos de navegación en un sillón
Voltaire* (cuaderno azul y cuaderno rojo), con excepción de
Octavia de Cádiz, por supuesto, de Julio Ramón Ribeyro, y
del propio Martín Romaña, muy pocos son los personajes de
la primera novela de los que nos da noticia en la segunda.
Paso por alto mi caso, pues creo que a Martín le basta con
la sola mención del nombre Alfredo Bryce Echenique, para
perder toda objetividad y empezar a escribir con el hígado
antes que con la cabeza.

Dicen que la curiosidad hace al ladrón. Y, en efecto, fue
la breve mención de Mauricio Martínez en *El hombre que
hablaba de Octavia de Cádiz,* la que despertó en mí la mal-
sana curiosidad que me llevó nada menos que a importunar
a Octavia de Cádiz en su palaciega mansión de Milán. Mauricio Martínez, aquel actor de teatro cuyos espaguetis a la
carbonara dan lugar a un divertido episodio de *La vida exa-*

gerada..., en el que también está presente José Antonio Salas Caballero, alias *El último dandy*, reaparece en el recuerdo de Martín Romaña durante la primera visita que le hace a Octavia en Milán. El esposo de Octavia había preparado unos excelentes carbonara y Martín, en su afán de congraciarse con él, le asegura que son muy superiores a los de su amigo Mauricio Martínez. Luego, arrepentido y aprovechando la momentánea ausencia del joven príncipe Torlatto Fabbrini (primer esposo de Octavia), le escribe una postal a Mauricio, en la que se disculpa por haberlo traicionado en aquel importante asunto de los espaguetis carbonara.

Leyendo esas líneas deduje que Martín debió mantener correspondencia con alguno de los personajes que evoca en sus libros y recordé inmediatamente una carta de despedida de Carlos Salaverry, alias *El filosófico filósofo*, antes de abandonar el París de mayo del 68. La carta se encuentra en el capítulo titulado «And that's me with the beautiful legs», en el que Martín vive una aventura amorosa bastante absurda con Sandra Anita Owens, una norteamericana de la que sí nos lo cuenta todo, hasta un último y ridículo reencuentro en California. Inés de Romaña (esposa de Martín), ha desaparecido en la iluminada noche de las barricadas y las antorchas, y al filosófico filósofo Carlos Salaverry lo han abandonado su esposa, Teresa, y su hija, Marisa. Martín aloja a su amigo durante algunos días, hasta que éste decide abandonar París e instalarse en Alemania. Cito aquí un fragmento de la carta que Carlos Salaverry le escribió a Martín, anunciándole su partida:

...Ten la seguridad, Martín, de que cuando no esté con Heidegger, con su hermano, o en los brazos de una mamapancha bávara apachurrando a la miseria de la filosofía (yo), mientras ésta gira pensando en su infame adolescencia, o leyendo y leyendo y leyendo (...), estaré escribiéndote las cartas que serán, gracias a tus respuestas, aquella hermosísima correspondencia entre dos amigos que nada podrá separar...

Creo que basta con las citadas líneas. A mí, en todo caso, me bastó para que mi curiosidad por conocer algo más sobre el destino final de Carlos Salaverry (¿llegó a Alemania? ¿Se quedó allá para siempre? ¿Volvió a saber de su esposa e hija?), me llevara hasta la misma puerta del Palacio Faviani, en Milán, por ser ésta la ciudad donde Martín Romaña terminó de escribir y corregir sus dos novelas y, sobre todo, porque cruzando la calle se encuentra el departamento que Octavia le alquiló para que pasara los que serían sus últimos meses de vida. Allí tenía que haber dejado Martín todas sus pertenencias, que eran muy pocas a juzgar por lo que nos dice en *El hombre que hablaba de Octavia de Cádiz*, acerca de su último y definitivo retorno a Milán: «A Milán llegué ligero de equipaje...» Si, como es de todos sabido, los manuscritos vieron la luz debido a la benevolencia de Octavia de Cádiz (las ediciones en varias lenguas de ambos libros fueron costeadas por Octavia como homenaje póstumo a quien ella consideró «el único artista artístico»), lo más probable es que también la correspondencia de Martín Romaña hubiese quedado en manos de la condesa Faviani.

«La vida no es hermosa, pero es original.» Martín Romaña cita esta frase de Italo Svevo en *La vida exagerada...*, y lo curioso es que yo la recordé constantemente durante las horas que duró mi visita al Palacio Faviani. Increíble: por momentos, la visita se me hacía interminable, debido más que nada a los desagradables asuntos que me llevaban a Milán; por momentos, en cambio, sentía el terrible desasosiego de lo efímero e irrepetible. Me preguntaba entonces si esta sensación casi fatal emanaba de la presencia de Octavia y de su manera tan particular de recordar a Martín Romaña. ¿Conoció Martín tan inexplicable desasosiego? ¿Fue eso lo que lo llevó a enloquecer por esa mujer que ahora, sentada con una elegancia tan extrema como ausente y desencantada, parecía la encarnación de la melancolía y al mismo tiempo una persona alegre y práctica y dispuesta a llamarle pan al pan y vino al vino? ¿Por qué, por momentos, la mujer con que hablaba parecía el recuerdo de Octavia de Cádiz? ¿Por qué, por momentos, hasta su propia estatua?

«La vida no es hermosa, pero es original.» El lector recordará tal vez que el verdadero nombre de Octavia era condesa Petronila Faviani. Martín muere sin saberlo y durante la conversación con el príncipe Leopoldo de Croy Solre, posterior a la muerte de ambos, insiste en seguirle llamando Octavia de Cádiz a la condesa Petronila Faviani. Pues bien, nada pude obtener de la condesa Faviani mientras la llamé Petronila. No sólo se mostraba reacia a mostrarme documento alguno de los que conservaba, sino que además se negaba a hablar de Martín Romaña como si nada tuviera que decir o, lo que es peor, como si apenas lo hubiese conocido. Y, por último, se escudaba tras un relato de Henry James (*Los papeles de Aspern*), en el cual, me aseguraba, se habla precisamente del derecho que tiene (o no) una persona (un biógrafo, por ejemplo), de entremeterse en la vida de un artista fallecido. Hasta qué punto tiene derecho ese presunto biógrafo a buscar y rebuscar en lo que fuera la intimidad de un escritor como Martín Romaña. Un lapsus mío le dio un vuelco total a la situación. Increíble: un simple lapsus. En vez de llamarla condesa Faviani le dije Octavia y vi cómo se producía en esa mujer una verdadera transfiguración. De ser casi la estatua de Octavia de Cádiz, su ausencia, o su más pura abstracción, la condesa Faviani se convirtió en el ser más real y concreto y hablantín y alegre que he visto en mi vida. Mención aparte merece la increíble ternura con que se refería a Martín Romaña y las increíbles inflexiones de la delicadeza de su voz (brasileña y no argentina, según Martín), al pronunciar su nombre. «La vida no es bella, pero es original.»

Y, en efecto, Martín Romaña había mantenido una larga correspondencia con su amigo Carlos Salaverry y éste se había reconciliado con su esposa, y con ella y su hija había regresado de Alemania al Perú. Pero lo increíble es que, según la condesa Petronila Faviani, Martín jamás sufrió aquel tormento hemorroidal que nos relata en el capítulo titulado «El vía crucis rectal de Martín Romaña», de su *La vida exagerada...*, sino que lo inventó «gracias a su increíble imaginación y talento» (cito las palabras empleadas por la condesa Faviani convertida en Octavia de Cádiz, por arte de magia o, mejor dicho, por arte de lapsus —el mío—), sí, lo inventó, y a partir de la siguiente carta de Carlos Salaverry, en la que éste le cuenta sus problemas con una próstata que Martín convertiría en hemorroides, deformando la historia y aplicándosela a sí mismo, por decirlo de alguna manera, gracias a ese enorme talento para la ficción y la desbordante imaginación que le atribuye Octavia-Petronila. Aquí la carta:

Mi querido Martín,

recién hace unos días que se normalizó el correo y casi de inmediato recibí tu carta del 19 de junio. Antes de la huelga había recibido dos cartas tuyas (una del 9 de abril y la otra del 12 de mayo), que puedo contestar ahora confiando en que el laberinto postal no se haga cargo de ésta y vaya a parar a la sórdida oficina de algún triste Bartleby criollo o tal vez francés...

Dejo pasar, por mor de brevedad, un largo trozo en el que Carlos Salaverry hace referencia a un intercambio de paquetes postales que contienen libros y revistas. No menciona títulos, desgraciadamente, pues habría sido interesante saber qué libros leía Martín Romaña en 1980, por coincidir este período con la redacción del primero de sus cuadernos, o sea *La vida exagerada*... La carta contiene, en cambio, una preciosa referencia a José Antonio Salas Caballero, a quien Martín abandona en su novela en un capítulo en que su madre y *El último dandy* se embarcan en Cannes, rumbo a Buenos Aires, para seguir luego viaje a Lima, siempre en barco. Las siguientes líneas nos presentan a *El último dandy*, fuera de temporada, en el balneario de Ancón:

...Tropecé rápidamente con *El último dandy*, una mañana otoñal en Ancón. Yo caminaba desolado por el desolado malecón y él hacía una aparición sonmolienta. Tiene noticias tuyas y anda en bata y sosegado...

Probablemente las páginas anteriores al epílogo de *El hombre que hablaba de Octavia de Cádiz*, en la que Martín Ro-

maña nos da una visión bastante negra de la realidad peruana, sean un lejano eco de estas palabras de Carlos Salaverry
(siempre y cuando nos atengamos a la insistencia con que Octavia-Petronila defendía la enorme capacidad de imaginar de
Martín):

...De un lado el Perú se desangra y, de otro, los peruanos ya nos desangramos. Pero lo peor es que Fernando
Belaúnde Terry (un hombre con pretensiones de pasar a
la Historia, pero que, estoy seguro, no pasará de nuestros manuales escolares de historia), puede ganar las elecciones con una virreinal lampa de oro que está usando
en su campaña como quien usa una varita mágica de fa-
bricación norteamericana y postindustrial. En este país
hasta los comentarios hacen huelga, o sea que huelgan
comentarios.

La verdadera sorpresa viene ahora, si nos atenemos a la
versión de Octavia-Petronila:

...De mí te diré que, desde hace meses, soy un solo de
próstata. Después de un largo, costoso, e inútil tratamiento con un urólogo tan buena persona como ineficiente,
decidí cambiar de médico, ya que se me estaba yendo
una fortuna por el culo. Ahora me está tratando (y tratando de curar, el doctor Del Águila, rey de las próstatas resentidas y príncipe de los meatos entusiastas. El
doctor Del Águila, como su nombre lo indica, es urólogo,
y todos sabemos que la urología es una rama de la orni-
tología, razón por la cual lo llaman también rey no coro-
nado de los pájaros. Debo reconocer que me recibió con
mucho afecto, pues yo iba recomendado por un ejército
de prostáticos ilustres y militantes, cuyos batallones están íntegramente conformados por personas con un *curriculum prostatae* envidiable.
Le expliqué que yo era un viejo prostático y que mi
primera crisis la había tenido en 1970, en Heidelberg,
habiendo sido curado por el célebre doctor Von Stauffen-

berg. Al oír ese nombre, el doctor Del Águila se incorporó, sus ojos se llenaron de lágrimas, y me abrazó emocionado. «Señor Salaverry —me dijo—, en la historia de las próstatas universales o, mejor dicho, en la historia universal de la próstata, el doctor Von Stauffenberg ocupa un lugar privilegiado. Fue él quien en su próstata número cinco mil dos, descubrió que el lóbulo derecho estaba a la derecha y que la próstata solía inflamarse por quítame estas pajas. Su artículo *Sobre la necesidad de curar la próstata cuando ésta se enferma*, lo hizo famosísimo. Se paseó por el mundo entero tocando próstatas de reyes, intelectuales, deportistas, mecánicos, niños, japoneses, ejecutivos, mormones, magnates, paralíticos, colombianos, sacerdotes y hasta gente sin empleo conocido. Después de su largo periplo próstato-mundial, se radicó en Heidelberg, donde usted lo vio.»

Le conté que el doctor Von Stauffenberg tenía un castillo adaptado a clínica en las afueras de Heidelberg, en cuyo descomunal jardín había un letrero luminoso: PROSTÁTICOS DEL MUNDO, UNÍOS. En el centro del jardín había un monumento a la próstata: un pedestal de mármol negro y encima una próstata gigantesca que se encendía al atardecer, iluminando el jardín con una intensa luz roja. El doctor Von Stauffenberg llegaba en su automóvil «BMW», hecho especialmente para él, y según un diseño suyo pues el auto no era otra cosa que una próstata sobre cuatro ruedas. El doctor Von Stauffenberg salía por su célebre lóbulo derecho y una multitud de frenéticos prostáticos lo recibían cantando el himno ¡Salve, oh próstata!, con música de Pergolesi (célebre prostático), y letra del desesperado poeta prostático alemán Herbert von Chamisso.

El doctor Del Águila lloraba emocionado y me decía que me envidiaba muchísimo porque el célebre doctor Von Stauffenberg me había introducido el dedo y me había tocado (to-ca-do) mi próstata, la próstata que él dentro de unos instantes iba a tener (no sabía si el honor o el placer) que tocar.

Del doctor Von Stauffenberg pasamos a mi próstata. Se la describí de una manera tan convincente que, en un momento dado, miró con tal atención la mesa que nos separaba, que vio (vimos) mi próstata ahí, entre un secante, un bolígrafo, y las hojas de papel que utiliza para sus recetas. A fin de que no hubiera el más mínimo error y para que viera (viéramos) mi próstata, en un arranque de entusiasmo me la saqué y la puse donde antes había estado mi próstata descrita. El doctor Del Águila volvió a abrazarme, gruesas lágrimas se deslizaron por sus mejillas al ver que yo delicadamente la acomodaba sobre un pedazo de papel que tenía el membrete del doctor Von Stauffenberg, pues para que estuviera enterado le había llevado todos y cada uno de los documentos que conforman la biografía de mi próstata. El rey de las próstatas habidas y por haber se emocionó aún más y dulcemente, tiernamente, científicamente, tocó con un dedo y con un aire de admiración mi próstata que, tímida y ruborizada, no logró abrir ninguno de sus lóbulos y sólo pestañeó imperceptiblemente. El doctor Del Águila daba de saltos alrededor de ella y lanzaba unos penetrantes chillidos.

A los pocos instantes llamó a su secretaria y a su enfermera. Aparecieron dos lánguidas y amarillentas mujeres que al mirar mi próstata (que se había acomodado, dándoles la espalda), me pidieron de inmediato mi autógrafo. Cuando se fueron, el doctor Del Águila se puso sus anteojos y miró larga y detenidamente mi próstata (que, intuí, ya tenía frío). La volvió a tocar murmurando: «Qué maravilla, qué maravilla, una próstata que ha sido tocada (to-ca-da) por el doctor Von Stauffenberg de Heildelberg, Alemania.»

Al poco rato, me la devolvió diciéndome que podía ponérmela, que todavía servía, y que no tomara ninguna medicina sino que tomara las cosas con calma tres veces al día después de las comidas. Que no dejara de suspirar los jueves a las 4 de la tarde, y que cada vez que sintiera una punzada en la próstata me aguantara. Si el meato se ponía rojo no era su culpa pues la consulta la estaba pagando en moneda nacional y además no incluía el meato ni los huevos. Si tenía indulgencias (aunque no fueran plenarias), podía pagar con ellas. La consulta costaba 1.875 indulgencias (de las que se pueden canjear en cualquier agencia del Banco Continental). Si quería pagar en dólares, que lo pensara mejor.

Cuando estaba saliendo, me pidió que regresara una tarde para tomarle una foto a mi próstata, pues quería tenerla en su colección fotográfica de prostáticos peruanos. Me advirtió además que no le hiciera caso a su secretaria si ésta me pedía tocar mi próstata un ratito. Que no aceptara así me lo suplicara, ya que esa mujer era una depravada, una corrompida, una prostadicta de la peor especie. Que no le hiciera caso tampoco si me decía que ella, por una especie de milagro conjunto de la Naturaleza y la medicina, tenía próstata y que si quería podía tocársela, prometiendo únicamente no meter uno sino dos dedos y mantenerlos allí veinticinco minutos. No, no debía hacerle caso pues esa desgraciada le estaba haciendo una competencia desleal. Ya había varios prostáticos que consultaban con ella, que además no cobraba.

Salí decidido a que la secretaria me metiera lo que quisiera pues yo estaba dispuesto a meterle hasta los dedos de los pies a tan pervertida como buenísima zamba que, además, según el doctor Del Águila, no cobraba, lo cual tal como están las cosas en este país...

La buena mujer ni me miró cuando me acerqué con el ademán de pagar la consulta. O sea que tuve que pagar la consulta y el dinero lo recibió como si nada, y cuando me iba me dijo que mejores próstatas había visto y que sin ir muy lejos un primo suyo tenía una de diecisiete lóbulos, todos izquierdos, y que lo del autógrafo lo había hecho para no perder el trabajo.

Comprenderás, mi querido Martín, que me fui con la próstata entre las piernas. En fin, ya te contaré cómo me va con el tratamiento del doctor Del Águila. Creo que es tiempo de despedirme, pero antes quiero decirte que no dejes de pedirme cualquier libro o revista que necesites del Perú. Ahora que el correo se ha normalizado nuestra correspondencia podrá volver a su normalidad, por lo menos hasta que Belaúnde asuma la presidencia de la República en nuestros manuales escolares.

Me despido enviándote los recuerdos de Teresa y Marisa. Recibe un fuerte abrazo de tu amigo de siempre.

CARLOS SALAVERRY

¿Dijo la verdad la condesa Petronila Faviani en aquellos momentos en que, debido a mi lapsus, sucumbió a una trampa de la nostalgia que la convirtió en Octavia de Cádiz, quizá por última vez en su vida y cuando menos se lo esperaba? ¿Fue Martín quien transformó estas aventuras prostáticas de Carlos Salaverry en unas hemorroides, en un *Vía crucis rectal*? ¿O fue por el contrario Carlos Salaverry, quien, enterado de los padecimientos de su amigo, decidió solidarizarse con él y contarle los suyos como una manera de hacerle sentir hasta qué punto lo comprendía? Esos cinco bultitos que Martín Romaña se descubre en el cuello al enterarse del maligno bultito que su amigo Enrique Álvarez de Manzaneda, el de Oviedo, tiene en el cuello, ¿no son también fruto de la necesidad profunda de compartir las dolencias de un amigo? ¿No podría haberse inspirado la solidaridad de Martín con su amigo Enrique en la solidaridad que, en la citada carta, le demuestra Carlos Salaverry? Aunque claro, también podríamos ponernos en el caso de que la próstata de Carlos Salaverry hubiese sido anterior —y también la carta en que habla de ella— al momento en que Martín Romaña redactó su *Vía crucis rectal*. En este caso, volveríamos a la versión de Petronila-Octavia y, además, reforzada por la idea de una solidaridad de Martín con su amigo Carlos Salaverry, semejante a la que antes mostrara con el trágicamente fallecido Enrique Álvarez de Manzaneda. Esta interpretación se vería reforzada, por consiguiente, con el precedente de los cinco bultitos como rasgo importante de la personalidad y el carácter de Martín Romaña. Y Petronila-Octavia tendría doblemente razón. Pero Petronila-Octavia es sólo un nombre que yo he usado para sintetizar la nostálgica actitud de la condesa Petronila Faviani, a quien sólo el azar y la necesidad, unidos a la pasión desbordante de Martín Romaña, convirtieron en la Octavia de Cádiz de una larga ficción.

Dicen que la razón la tenemos entre todos. El lector juzgará.

Barcelona, 1996

EL GORDO MÁS INCÓMODO DEL MUNDO

A Françoise y Alain Martin

En 1967, monsieur Ponty sustentó su tesis de Tercer Ciclo, sobre los andaluces de Jaén, aceituneros altivos, el poema de Miguel Hernández, y contrajo matrimonio. De esa unión nacieron Charlotte y Marie Ange, aunque esta última no estaba programada, porque Charlotte había sido programada en el lugar en que Marie Ange no fue programada, o sea en lugar de Marie Ange, que nació sin nombre porque Charlotte había sido programada en segundo lugar o sea después de Christophe, que no nació nunca. Hubo un tercer intento pro-Christophe, entre monsieur y madame Ponty, amparados en la legislación familia-numerosa, que en Francia es a partir de tres, pero Christophe siguió sin nacer nunca, o sea que a la tercera niñita la llamaron Henriette, con tristeza, y al perrito lo llamaron *Christophe*, un año más tarde, con gran alegría del pequeño vecindario, porque era un perrito más en el vecindario, y con gran alegría de Henriette y sus hermanitas, según le contaron monsieur y madame Ponty al pequeño vecindario, porque *Christophe* era un regalito para Henriette, Charlotte y Marie Ange.

Fueron cinco años sumamente complicados en la vida de monsieur Ponty, o sea que el 1972 lo sorprendió sin que hubiese podido hacer nada nuevo por los andaluces de Jaén, aceituneros altivos, ni por Miguel Hernández, a pesar de las interpretaciones que, sobre el asunto muy mal estudiado, según probaría él en su doctorado de Estado, cantaba (*vulgarizaba*, fue la palabra que monsieur Ponty empleó siempre contra estas interpretaciones) Paco Ibáñez por toda Francia.

Desgraciadamente, Charlotte se enfermó poco antes del verano del 73, y monsieur Ponty no pudo ir a España, en busca de más datos, y *Christophe* se enfermó el 74, con el mismo resultado para sus datos. En 1975 se enfermó Franco y monsieur Ponty consideró que lo más prudente era reflexionar sobre tanta enfermedad. En 1976 monsieur Ponty decidió no reflexionar más, porque después de todo su doctorado de Estado era sobre Miguel Hernández y Miguel Hernández no era sobre su doctorado de Estado.

Pero en 1977, la vida de monsieur Ponty, sin duda alguna, cambió, porque apareció en el Departamento de Español de la Universidad, un gordo que, de entrada, dijo que lo llamaran *El Gordo*, que para qué disimular, y que era andaluz de Jaén. También de entrada, *El Gordo* agregó que deseaba rogarles a sus colegas de Departamento que le renovaran su contrato anual, no anal, *mesdames y messieurs*, porque bastante difícil le había resultado transportar su humanidad de ciento setenta kilogramos, desde su altivo pueblo, a decir de Miguel Hernández, con quien él estaba totalmente de acuerdo, hasta ese pueblo de mierda y su Universidad, con el único afán de desasnar a la juventud de sexo masculino y ya veremos qué otras oportunidades se presentan con la juventud de sexo masculino y ya veremos qué otras oportunidades se presentan con la juventud de sexo femenino, en esos tiempos que cambian, y olé las manos llenas de dedos y olé los dedos llenos de uñas y olé las uñas llenas de...

—¡Aceituneros altivos! —exclamó monsieur Ponty.

—La que lo parió al monsieur por bruto —comentó *El Gordo*, y hubo una especie de carcajada general del Departamento de Español, aunque sin carcajada, por tratarse de monsieur Ponty, que era un colega, después de todo, mientras *El Gordo* exclamaba: ¡Ole las manos llenas de ole ole, tío bruto!

El Gordo causó problemas con tres estudiantas de tercero de Letras, el primer año, el segundo le llamaron la atención porque hizo lo propio, como decía él, con cuatro de segundo de Letras, y el tercer año le dieron a entender que podía quedarse a trabajar para siempre, porque juró que entre él y su guitarra harían lo propio con íntegro el primer año de Letras y si quieren me voy por Farmacia. Después se compró un automóvil que desafiaba al del rector, porque eso rimaba con lector, según explicó, y eso es lo que hace aquí este humilde servidor, y después apareció casado con una norteamericana porque tocaba flamenco con unos dedos que ni monsieur Ponty y a tomar todos por el cu...

Monsieur Ponty irritado ante esta falta de todo, de parte de un andaluz de Jaén, decidió que había llegado el momento, su momento. Abandonando una reunión del Departamento, no sin antes pedirle al secretario que levantara acta de su abandono, emprendió el abandono, y sus colegas se pusieron muy serios. Hubo uno, incluso, que se puso medio de pie cuando, ya abandonándolos, y creando un grave problema ideológico, al mismo tiempo, monsieur Ponty exclamó:

—¡Aceitunero y Caudillo! ¡Rescata a este pueblo de Francia, Aceitunero y Caudillo!

Se iba a armar la de Dios es Cristo, cuando *El Gordo* recogió a monsieur Ponty por la mano, para que no se les fuera así, tan rápido, y le dijo tú aquí te quedas, monsieur, que no andes dando el ejemplo por el mundo entero de eso que es andá siempre sacando a meá a *Christophe*.

Fue como un milagro, porque ahí todos comprendieron que *El Gordo* era, si no inamovible, indispensable, y si no indispensable, inamovible, o que en todo caso era inamovible por indispensable o indispensable por inamovible. Y aunque el Gobierno decretara, decreto tras decreto, lo que debía durar un lector en su puesto, a este hijo del lucero del alba le renovarían el contrato pa' toda la vida. ¿O no?, preguntó *El Gordo* tras haberles dicho a los colegas que levantara la mano el toro que había nacido pa' no renovarle el contrato, ¿acaso aquí todo el mundo no me anda invitando con la norteamericana pa' que le armemo la juerga y después me se emborrachan y me piden que no le cuente na' a monsieur el rectó porque es el tipo más estreñido del universo mundo y de noche además le salen los cué... Y miren ahora el susto del lectó de Argentina que anda más deportado que el Che, que en paz descanse y a mucha honra pa' nosotros lo aceitunero de Jaén, por eso de la mare patria, y que no se me asusten tampoco los otros dos latinoamericanos porque yo les voy a arreglá lo del contrato anal de lectó hasta que mi niña crezca, la que he tenido en este pueblo con mi señora esposa con la cual ando muy contento por esa forma que tiene de tocar la guitarra y de tené una hija parecida a mi hermana más bonita que es la que más se parece a mi mare también... O sea, monseiur Ponty, que usté no se me vaya de la mano porque estoy hablando del lucero del alba, que son mi madre y mi hermana, que más bonito no puede andá esta última y la primera también, y en cambio usté con su forma de andá siempre parece que estuviera sacando a *Christophe* a meá, y es que esa manera que tienen los perros de llevarlo a uno corriendito detrá del perro meón nadie la tiene mejor que usté por rapidito... Y ahora, quédese, monsieur Ponty, y respete, como dice el lectó peruano, respete lo presente y siéntese con nostros que tanto lo queremos y estamos en reunió...

Nunca se supo si eso duró cinco minutos, una hora, toda la vida, o si quedaría en los anales de la Universidad. Se supo, eso sí, que la Universidad entera se movilizó, que abrió sus puertas, limpiecito, un sindicato nuevo, que en efecto monsieur Ponty caminaba igualito a un hombre que saca a mear a un perro chiquito y desesperado, y que si *El Gordo* sabía cómo y por qué monsieur Ponty caminaba como un hombre con un perro desesperado y chiquitito, era porque también lo habían invitado monsieur y madame Ponty y que *El Gordo* lo había visto sacar a *Christophe* a mear, porque en efecto nadie había descrito mejor a *Christophe* sacando a mear a la carrera a monsieur Ponty con su estreñimiento psicosomático.

Total que *El Gordo* se convirtió definitivamente en un hombre indispensable, aunque no faltó quien, con las peores intenciones, intentara traer nuevamente a colación aquello de que se había convertido en inamovible, mas no en indispensable, un asunto sobre el cual todos en el Departamento de Español, votando a conciencia y en casa, ya se habían puesto de acuerdo, con la urgencia que el caso requirió. *El Gordo* era, por abrumadora mayoría, como él mismo se encargó de decir, un andaluz universal más. Y con la gringuita que lo acompañaba tan bien en su cante y tan de Jaén y tan encantador Y tan encantador, una vez más, que ese verano del 82 invitó a todo el Departamento de Español a Jaén y todos decidieron ir pero nadie la pasó muy bien cuando, al llegar, *El Gordo* les dijo que en el próximo autocar, ahora después, llegan cantidá de las chicas má bonitas de entre las chicas má inteligentes de primer año, porque aquí a mi señora le consta que de las otra no he traído. Después la pasaron en grande con muchísima sangría y muchísimas tapas y hasta hubo romances entre profesores enloquecidos y alumnas al borde del río y más de una muchacha resultó que ya tenía marido y no faltaron ni muslos para escaparse como peces sorprendidos, locos lorquianos se volvieron los mesieres y el asunto parecía recital nocturno siempre a la orilla del río y a la luz de la luna plateada de Jaén, lo cual hizo que nadie escuchara cuando una noche *El Gordo* dijo con mucha pena y sentimiento que ese monsieur Ponty por andá sacando a *Christophe* a meá que lo único por lo que no ha venido, y ahora vamo' por peteneras, niña de mi arma, mi esposa, que ahí se ha quedao en Francia el aceitunerito y *un* su Christophe, como dice la alumna salvadoreña, que le agrega palabras a tó, porque a mí me explicó que los Estados Uníos tenían *un* su presidente Reagan y El Salvador *un* su general Napoleón Duarte y al final uno nunca sabe si le ha puesto un *su* demasiado o un *un* demasiado a lo que está pasando en América Central.

En 1984, *El Gordo* tuvo un varoncito y lo bautizó con el nombre del pueblo de mierda en que había nacido, y cuando todos le preguntaron si se había vuelto loco, él les dijo que al contrario, que tó era como Descartes, muy razonable, porque de segundo nombre le había puesto Christophe en honó a ese cariño que él le tenía muy enorme a monsieur Ponty, que ahí era el único doctó en andaluces de Jaén, y a ver si caminando tan rapidito llegaba hasta su Jaén natal y dejaba por fin de vivir como quien descansa en paz, o algo así, porque a monsieur Ponty se le había quedao atracá la tesi desde 1967 y eso parecía tené una enorme importancia porque al monsieur le daba por hablarle na' más que de eso cada noche y estaba a punto de matarlo de cansancio porque aunque yo fuera la enciclopedia, la más británica del mundo y parte de Bolivia, a mí me tiene corriendo detrás de cada meada de *Christophe*, el suyo, no el mío, y yo le tengo bien dicho que sobre los andaluces de Jaén no hay na' má que decí, que yo soy su amigo y que ponga en su doctorao ese de Estao que to' somo andaluce de Jaén, su Christophe y hasta el mío, que tiene nombre de pueblo con Universidá, si quiere, que el resto es asunto de probarlo con Descartes pero que en tó caso no se me ponga tan flamenco como pa' decime, que me lo dijo la otra noche, que yo soy la esepsión a la regla porque corriendo enano y flaquísimo detrás de su *Christophe*, que mea a intervalos, de a poquitos y tan rapidísimo que ni se ve cuando levanta la patita, porque los perros tienen cuatro pero éste parece que tuviera cuatro mil porque árbol que encuentra y arbusto y planta y hasta el mismo pantalón de uno, siempre hay una patita levantá y todas las demá que ya volvieron a bajá, y así resulta que yo soy la esepción a la regla porque le dije que sobre los andaluce de Jaén no hay má na' que decí, ni mucho más tampoco, pero él como que le anda buscando tres pie al gato de ese poema y yo ya me he leído su Tesi de Tercé Ciclo y la verdad es que no se me ocurre cómo se le puede echá mil páginas má a eso, que es lo que él pretende con una pretensió tan enorme que a su esposa la tiene completamente abandoná y pa' traicioná a los amigos sí que no sirvo yo y ya la otra noche la madame le dijo a mi esposa que nos tocara algo que tuviera en sus notas mucha luna andaluza, bien llena, si era posible, y a mí me dijo siéntate aquí, *Gordo*, cuando yo realmente má aquí de lo que estaba sentao ya no podía está...

El verano de 1984, *El Gordo* llegó a su Jaén natal y lo primero que vio, aunque sin darse cuenta, fue íntegra a la familia Ponty. Tratando de bromear, porque realmente no quería darse cuenta de eso, le dijo a su señora que los señores Ponty, sus tres hijas, y el cuarto, que era el perro, habían llegado a Jaén sin darse cuenta. Lo malo, claro, era que su hijo se llamaba como el pueblo de mierda de la Universidad, mo-

tivo por el cual tenían que llamarlo siempre Christophe y ahora
resultaba que *Christophe* era también un perrito de mierda que
tenía a un tal monsieur Ponty corriendo rapidiflaquísimo y
muy estreñido de los nervios por todo Jaén tres veces al día
para pipí.

—¡Pipí su mare! —exclamó *El Gordo.*

Y hasta que se acabe el mundo jamás logrará explicarse
lo que pasó después, ni por qué pasó, ni cómo ni para qué.
Y, al final, todo le resultaría realmente incomprensible, menos al final, desgraciadamente. Él se sacó la entreputa en un
automóvil que, andaluces de Jaén, era mejor que el del rectó
de la Universidad del pueblo que se llama como mi hijo Christophe, que felizmente no estaba en el automóvil, que felizmente
estaba con su madre y su hermanita, que felizmente no estaban
conmigo. Mientras tanto, madame Ponty había regresado a
Francia, por culpa de los microbios del agua hervida de Jaén.
Había regresado de una manera perversa, porque a sus tres hijas y a *Christophe* se los llevó con ella, la noche en que la Virgen de Fátima se le apareció en Lourdes y en sueños, derramando a chorros un agua bendita que a la legua se notaba que
estaba hervida de aceituneros altivos. La prueba definitiva fue
que, cuando se despertó, monsieur Ponty, su esposo de Tercer
Ciclo, seguía tomando nota tras nota y llenando ficha tras ficha
para convertirse en una persona llamada Doctor de Estado.
Pegó un alarido, pero monsieur Ponty le explicó que después,
que se guardara el alarido para después de esa ficha. Desde
el otro lado de Jaén, alguien le gritó ¡y olé!, a su alarido, y
madame Ponty lo único que se olvidó de llevarse de Jaén fue
a monsieur Ponty.

O sea que ahí nadie entendía nada y sin duda alguna por
eso se produjo el incidente en torno al accidente. *El Gordo*
andaba intranquilo porque la Mutual que lo aseguraba contra
todo riesgo acababa de confirmarle que, en efecto, iba a ser
repatriado. La primera etapa lo llevaría de Jaén a Madrid, la
segunda hasta Barcelona, donde una ambulancia lo trasladaría del aeropuerto hasta la estación del tren a Francia. Una
vez allá, otra ambulancia lo trasladaría hasta su casa, desde la
estación del tren, donde además estaría esperándolo su espo-

sa que había regresado con sus hijos y con su propio peculio, porque no habiéndose accidentado con él, ni como él, no tenía por qué ser repatriada. Repatriar, repitió *El Gordo*, buscándole una explicación a algo que no fuera todo lo que había pasado en Jaén, sólo porque monsieur Ponty vino a terminar su tesis. E insistió: Yo quiero, dijo, lenta y castellanamente, yo quiero que a mí me expliquen por qué si mi señora es norteamericana, según la ley de su país, española, según la ley del mío, porque se ha casado conmigo, que también por ahí me han dicho que soy norteamericano porque me he casado con ella, y eso como que es irresoluble porque se llama Derecho Internacional Privado, o sea que debe ser privado de cada país, yo quiero saber por qué ahora me están repatriando a Francia, que ahí sí que no me he casado con nadie que sea francés ni mi esposa tampoco. El funcionario de la Mutual rebuscó entre todos sus papeles y le dijo que iba a ser repatriado porque ésa era la única palabra que existía para casos de repatriamiento a Francia.

—Está bien —dijo *El Gordo*, decidiendo que dormiría hasta llegar a Barcelona—. Todo está muy bien y muy claro, pero mientras monsieur Ponty no declare lo contrario en su doctorado de Estado, yo aunque no soy aceitunero sino lector, soy de Jaén.

Lo colocaron en el «Talgo» rumbo a Francia, con gran esfuerzo, y fue enorme su sorpresa al descubrir que, en el asiento de enfrente, viajaba nada menos que monsieur Ponty. Dedujo que el maletín que llevaba fuertemente ajustado entre los brazos era Jaén, lleno de aceituneros altivos y andaluces y capítulos primero, segundo, tercero, cuarto y quinto y sexto, más la conclusión, y le dijo buenos días, monsieur Ponty, mire usté lo repatriado que puede quedá uno después de un accidente. Me partí la pata izquierda en cuatro y de ahí al infinito cuente usté, que es este brazo. Monsieur Ponty miró al techo, porque jamás en la vida había visto a ese tipo, y *El Gordo* dejó de entender por completo a monsieur Ponty, pero estuvo todas las horas que duró el viaje explicándole por qué no pensaba sacarle la pata enyesada de encima de su pie de codorniz y que por una vez en la vida iba a tener algo que decir sobre lo pesados e incómodos que podían llegar a ser los andaluces de Jaén.

Un par de semanas más tarde, las clases empezaron y se anunció la primera reunión del Departamento de Español. *El Gordo* llegó feliz y dándole instrucciones a su esposa para que ésta, a su vez, les diera instrucciones a todas las alumnas que llevaba metidas de muleta debajo de cada sobaco, con mucho cuidado de no tocarme el brazo, criaturas, que este año yo no sé quién las va a divertir a ustedes porque yo vengo malamente herido, aunque no me digan que no es bonito llegar en andas a la Universidad, que así, entre ustedes y yo, debemos parecer la procesión. Y ahora, por favó, muchísimo cuidado porque ahí viene monsieur Ponty y tenemos que pisarlo tumultuosa y muchedumbremente, que viene de muchedumbre y del latín aplasten sin miedo.

—¡Pero qué le ha pasado! —exclamó monsieur Ponty, absolutamente sorprendido—. ¡Qué le ha pasado! ¡Por Dios santo! ¡Qué le ha pasado!

—Señor Ponty —dijo *El Gordo,* explicándole a las chicas que había que detenerse un rato, porque ahora la procesión iba por dentro—. ¿Qué cree usted que me ha pasado, señor Ponty? Dígame, sinceramente, ¿qué cree usted que me ha pasado? Fíjese que aquí también está mi esposa y dígame ahora qué es lo que me ha pasado.

—Yo creo que esto habrá que discutirlo en la reunión del Departamento —respondió monsieur Ponty—. A mí ninguno de nuestros colegas me ha informado de su accidente. Y, la verdad, eso me parece una falta de solidaridad con lo que le ha pasado a usted en Jaén.

—¿Con lo que qué, señor Ponty?

—Con... con el yeso que le ha pasado a usted este verano. Yo, precisamente, estuve en Jaén por lo de mi tesis...

—¿Y...?

—Pues ya sólo me falta redactarla... Pero a usted, ¿qué...?

—Mire —lo interrumpió *El Gordo*—, mire, señor Ponty, digamos que hubo una época en que usté abusó de mi afecto...

—Yo creo, más bien, señor, que un Doctor de Estado tendrá siempre la última palabra sobre un asunto como éste...

—Niñas —preguntó *El Gordo*—: ¿habrá que aplastar?

En la reunión, monsieur Ponty contó que su tesis seguía paralizada desde 1967, y todo por culpa de un pueblecito ideal en la riviera italiana...

—Un pueblecito que según este gordo altivo e incómodo jamás se llamará Jaén —lo interrumpió *El Gordo,* y añadió que por favor nunca nadie le fuera a preguntar por qué todos los caminos lo habían llevado siempre a la mierda con muletas y yeso.

Cap Skirring, Senegal, 1985

EL PAPA GUIDO SIN NÚMERO

A Sophia y Michel Luneau

—Vengo del pestilente entierro del Papa —dijo mi hermano, por toda excusa. Como siempre, había llegado tarde al almuerzo familiar.

—¿El entierro de quién? —preguntó mi padre, que era siempre el último en escuchar. Y a mi hermano le reventaba tanto que lo interrumpieran cuando se arrancaba con una de sus historias, que un día me dijo—: Definitivamente, Manolo, no hay peor sordo que el que sí quiere oír.

—Esta mañana enterraron al Papa Guido, papá.

—¿Al Papa qué?

—Al Papa Guido Sin Número.

—¿Guido sin qué?

—Carlos, por favor —intervino, por fin, y como siempre, mi madre—, habla más fuerte para que se entere tu padre.

—Lo que estaba diciendo, papá, es que esta mañana enterraron al Papa Guido Sin Número.

—Uno de tus amigotes, sin duda alguna —volvió a interrumpir mi padre, esta vez para desesperación de mi hermano, primero, y de todos, después.

—Déjalo hablar —volvió a intervenir mi madre, eterna protectora de la eterna mala fama de mi hermano Carlos, el mejor de todos nosotros, sin lugar a dudas, y el único que sabía vivir, en casa, precisamente porque casi nunca paraba en casa.

Por ello conocía historias de gente como el Papa Guido Sin Número, mientras yo me pasaba la vida con el dedo en la boca y los textos escolares en mi vida.

Por fin, mi padre empezó a convertirse en un sordo que por fin logra oír, y aunque interrumpió varias veces más, por eso de la autoridad paterna, Carlos pudo contarnos la verídica y trágica historia del Papa Guido Sin Número, un cura peruano que colgó los hábitos, como quien arroja la esponja, tras haberle requeteprobado, íntegro al Vaticano, méritos más que suficientes para ser Papa *Urbi et orbi*, y que siendo descendiente de italianos, para colmo de males se apellidaba Sangiorgio, por lo cual, como le explicó enésimas veces al Santo Padre de Roma, en Roma, ya desde el apellido tengo algo de santo, Santo Padre.

—No entiendo nada —dijo mi padre.

—Lo vi muerto la primera vez que lo vi —continuó mi hermano.

—¿Lo viste qué?

—Quiero decir, papá, que la primera vez que lo vi, Pichón de Pato...

—¿Y tú tienes amigos llamados Pichón de Pato? —interrumpió mi padre nuevamente.

—Deja hablar a tu hijo, Fernando.

Mi hermano miró como diciendo es la última interrupción o se quedan sin historia, y prosiguió. Estaba en el «Bar Zela» (mi padre no se atrevió a condenar a muerte al «Bar Zela»), y dos golpes seguidos sonaron a mi espalda. El primero, sin duda alguna, había sido un perfecto *uppercut* al mentón, y el otro un tremendo costalazo. Volteé a mirar y, en efecto, Pichón de Pato acababa de entrar en busca de Guido Sangiorgio a quien había estado buscando siete días y sus noches, como a Juan Charrasqueado...

—¿Como a quién? —interrumpió mi padre.

—Mira, papá, tómalo con calma, y créeme que llenaré cada frase de explicaciones innecesarias para que nada se te escape. ¿De acuerdo?

—¿Qué?

—Te contaré, por ejemplo, que Juan Charrasqueado es una

ranchera que toda América latina se sabe de paporreta y en
la que Juan Charrasqueado que es Juan Charrasqueado como
en la ranchera que lleva su nombre, precisamente, se encuentra bebiendo solo en una cantina y pistola en mano le cayeron
de a montón. Esto fue en México, papá, o sea que nada tiene
que ver con la reputación, excelente por cierto, según el cristal con que se mire, del «Bar Zela». A Juan Zela le cayeron
pistola en mano y de a montón y no tuvo tiempo de montar en
su caballo, papá, cuando una bala atravesó su corazón. Así,
igualito que en la ranchera, papá, Pichón de Pato, rey de la
Lima *by night,* a bajo costo, apareció por el «Zela» y Guido
no tuvo tiempo de decir esta boca es mía. Lo dejaron tendido
sobre el acerrín de los que mueren en el «Zela».

A la legua se notaba que Carlos se había tomado más de
una mulita de pisco en aquella mítica chingana frente al Ce-
menterio del Presbítero Maestro, cuyo nombre, «Aquí se está
mejor que al frente», despertaba en mí ansias de vivir sin el
dedo en la boca y sin la eterna condena de los textos escolares
ad vitam aeternam. Nunca envidié a mi hermano Carlos. Ése
era mi lado noble. Pero en cambio lo admiré como a un Dios.
Ése era mi dedo en la boca.

Mi padre ya no se atrevía a interrumpir, y fue así como
mi hermano Carlos descubrió a ese increíble personaje que
fue el Papa Guido Sin Número. Lo conoció muerto sobre el
acerrín del «Zela» y, años más tarde, o sea esa misma mañana,
antes de entrar a tomarse una mulita de pisco, luego dos y
cinco o seis, lo acompañaría hecho una gangrena humana hasta el eterno descanso de su alma terriblemente insatisfecha.

Increíblemente, yo logré ver al Papa Guido una mañana
por las calles de París, ciudad en la que continuaba mi vida
pero ahora con textos universitarios. Era exacto a Caruso y
vestía de Caruso y sus ojos sonreían locura y sus escarpines
blancos perfeccionaban a Caruso caminando por las calles de
París, hacia el año 67. Eran ya los tiempos de la decadencia
y caída del Papado, pero el Papa Guido Sin Número, convertido ahora en Caruso, hacía pasar inadvertida cualquier preo-
cupación de ese tipo. Del aeropuerto de París habían llamado a la Embajada del Perú y habían explicado que no se tra-

taba de delito alguno pero que qué hacían, ¿lo detenían o no? Mientras tanto, el extravagante peruano se dirigía ya a París y que allá en París se encargaran de él. La Policía había cumplido con avisar a la Embajada. Y el extravagante peruano pudo seguir avanzando rumbo a París, a ratos a pie, a ratos en taxi, sonriente y con el maletín que contenía decenas de miles de dólares que iba lanzando cual pluma al viento mientras cantaba *La dona é mobile qual piuma al...* E increíblemente apareció todavía con dólares al viento por la rue des Écoles y yo me pasé a la acera de enfrente de puro dedo en la boca, lo reconozco, aunque también, es cierto, para observar mejor un espectáculo que ahora, escuchando a mi hermano hablar, empezaba a revelarme su trágico y fantástico contenido.

Cotejé datos con Carlos, y me explicó que en efecto ese dinero se lo había ganado el Papa Guido Sin Número, en su fabulosa época de publicista. Si bien era cierto que de una revista muy prestigiosa lo largaron porque su director, al ver que le llovían anuncios como nunca, investigó las andanzas de Guido, descubriendo que trabajaba pistola en mano y con la amenaza de volver pistola en mano por más avisos o disparo, también era cierto que obtuvo el récord mundial de avisaje para esa revista. O casi. Bueno, papá, es una manera de contar las cosas. Pero no me negarás que quien llenó la avenida Arequipa de tubos encendidos de Kolynos fue el Papa Guido Sin Número. De Miraflores a Lima colgó tubos en ambas pistas de la avenida, un tubo iluminado de Kolynos en cada poste de luz.

—¿Con que fue él? Malogró por completo la avenida Arequipa.

—Pero no negarás, papá, que hasta hoy nos tiene a todos los peruanos lavándonos los dientes con Kolynos, a pesar de que la televisión se mata anunciando otros dentífricos.

—Yo me sigo lavando con pasta inglesa —jodió el asunto, una vez más, mi padre. Y agregó que llevaba cincuenta años de lavanda y talco «Yardley» y pasta de dientes inglesa y que para algo había trabajado como una bestia toda la...

La vida del Papa Guido Sin Número, lo interrumpió mi

hermano, esta vez, fue la de una muy temprana vocación sacerdotal. Empezó por una infancia de sacristán precoz, de acólito permanente, y de niño cantor de Viena, o algo por el estilo, en cuanto coro sagrado necesitara coro cualquiera de cualquier iglesia de Lima. Nunca se limpiaba los zapatos porque, según decía él, ya a los cinco años, la limpieza se la debo a Dios y por ello sólo me ocupo de limpiar altares. Y en esto llegó hasta al fetichismo porque prefirió siempre los altares en los que se acababa de celebrar la santa misa. Huelen a Dios, explicó, y a los 11 años cumpliditos partió a su primer convento, cosa que a sus padres en un primer momento y convento no les preocupó, porque estaban seguros de que regresaría a casa al cumplir los 11 años y una semana, pues ya a los diez había intentado violarse a la lavandera y a la cocinera. Y a las dos al mismo tiempo, papá.

—Sigue, sigue...

—Pero no volvió más y a Roma llegó a la temprana edad de 17 años, con los ojos abiertos inmensos y dulzones debido a la maravilla divina y la proximidad vaticana. Nunca se descubrió que se había metido de polizonte en tres cónclaves seguidos...

—¿Se había metido de qué?

—Se zampó a tres cónclaves, papá, y vio de cerquísima cada secreto de la elección de tres presidentes...

—Querrás decir de tres papas —lo interrumpió nuevamente mi padre, aunque feliz esta vez porque tenía todita la razón.

Y mi hermano, que sin duda alguna se había metido como mil mulitas de pisco, en «Aquí se está mejor que al frente», dijo que con las causas perdidas era imposible, pero inmediatamente agregó que se estaba refiriendo a nuestro Papa, para evitar que lo botaran de la mesa. Y contó que, en efecto, aunque nunca se le logró probar nada, a Guido se le atribuían horas y horas de atentísimas lecturas, subrayando frases claves, de la vida de los Borgia, los Médicis, y *El Príncipe* de Maquiavelo, añadiendo, por todo comentario, que eso nuestro futuro Papa lo llevaba en la sangre, para que cada uno de nosotros juzgara a su manera. Lo cierto es que, al cumplir los cuarenta, Guido, nuestro futuro Guido Sin Número se hartó de forzar entrevistas con importantísimos cardenales influyentísimos, representantes de tres congregaciones representantes de tres multinacionales y la Banca suiza, se aburrió de aprobar exámenes que no existían (pero que él logró que le impusieran), de sabiduría divina, humana, e informática, y así poquito a poco y con paciencia de santo logró probar que había nacido para ser Papa, ni un poquito menos, ante todita la curia romana, íntegro el Vaticano, y ante el mismísimo Papa en ejercicio, perdón, pero para la historia de las fechas y nombres nunca fui bueno, para eso tienen a Manolo que se sabe los catorce incas y cuenta papas cada noche para dormirse. En fin, un Pío de esos en ejercicio fue quien organizó la secreta patraña de nombrarlo Papa honorario con el nombre de Guido Sin Número, y nada menos que en la Basílica de San Pedro, aunque en un rinconcito y de noche, eso sí, y todo esto, según le explicó el Papa al Papa Guido, papá, *tutto questo, collega Guido Senza Numero, caríssimo figlio mio* (Guido ya estaba pensando *figlio di putana*, perdón papá), en fin, todo esto porque siempre fue, era, es y será demasiado pronto para que un peruano pueda aspirar a Papa, por más vocación y *curriculum vitae* que tenga, Guido, y ahora no te me vayas a volver cura obrero, por favor, pero *pasarán más de mil años, muchos más, yo no sé si tenga amor, la eternidad...*

—¡Santo Padre! —exclamó Guido—, ¡no me venga usted ahora con letras de bolero! ¡Qué estafa! ¡Qué escándalo! ¡Ay...! ¡Hay...! *¡Hay golpes en la vida... yo no sé!*

—¡Y tú no me vengas con versos de Vallejo!

—Está bien —dijo Guido, realmente anonadado—. Está bien. La Iglesia, y no el diablo, me aleja para siempre de Dios. El Santo Padre de Roma, y no Satanás, me acerca para siempre al infierno. *Ho capito... Tutto... Bene... Beníssimo...* No me dejaron ser el mejor entre los mejores... Pues seré el peor entre los peores...

—Sujétenlo —ordenó el Santo Padre—: éste es capaz de armar la de Dios es Cristo.

Pero Guido no armó nada y más bien el resto de su vida fue un exhaustivo e intenso andar desarmándose. A Lima llegó ya sin sotana y explotando al máximo su gran parecido a Caru-

so. Bastón, zapatos de charol, chaleco de fantasía, corbata de
lazo y seda azul, enorme y gruesa leontina de oro, clavel en el
ojal, sombrero exacto al de Caruso y ladeado como Caruso.
Un año más tarde era el hombre más conocido por las muchachas en flor que salían del colegio Belén, a las doce del día
y a las cinco de la tarde. Sus bombones llegaron a ser el pan
nuestro de cada día de cinco adolescentes y Guido visitó la
cárcel por primera vez en su vida. Durante los meses que duró
su reclusión, leyó incesantemente *El diablo* de Giovanni Pa-
pini, un poco por no olvidar nada y otro poco por recordarlo
todo, según explicaba en el perfecto latín que desde entonces
usó siempre para dirigirse a la Policía peruana. No le enten-
dían ni papa.

—Pero la cárcel lo marcó —explicó mi hermano, haciendo
exacto el gesto del que se toma una mulita de pisco seco y
voltea'o.

—Borracho, además de todo —sentenció mi padre.

—Y de los buenos —continuó mi hermano—. Borracho de
esos que logran sobrevivir a noventa grados bajo corcho. Cada
borrachera del pobre Guido era un verdadero descenso del
trono vaticano hasta el mismo infierno. Podía empezar en el
«Ritz», en París, y seguro que ésa fue la vez en que lo viste
arrojando oro y más oro por París, Manolo; podía empezar
en los casinos de Las Vegas, jugándose íntegra una de esas for-
tunas que hacía de la noche a la mañana y deshacía en los seis
meses que tardaba en llegar al infierno de los muladares, pasando de un país a otro, decayendo de bar en bar, esperando
que el diablo se le metiera en el cuerpo y lo fuera llenando
de esas llagas asquerosas que día a día apestaban más, a medida que se iban extendiendo por todo su cuerpo, obligándolo
a rascarse, a desangrarse sin sentirlo, anestesiado por meses
de alcohol que empezaba siendo champán en «Maxim's» y terminaba siendo mezcal o tequila en alguna taberna de Tijuana,
de donde otros borrachos lo largaban a patadas porque nadie
soportaba la pestilencia de esas llagas sangrantes entre la ropa
hecha jirones por la manera feroz en que se rascaba. Lo resca-
taban en los muladares, a veces cuando los gallinazos ya habían empezado a picoteárselo. Lo rescataba la Policía sin en-

tender ni papa de lo que andaba diciendo en latín, pero las monjas de la Caridad, que tantas veces lo recibieron en sus hospicios, afirmaban que no parecía mentir cuando narraba delirantes historias en las que había sido Papa, nada menos que Papa, y en las que ahora era el diablo, nada menos que el diablo, y todo por culpa del Papa de Roma. Se conocía hasta el más mínimo detalle de la vida cotidiana en el Vaticano, agregaban a menudo las monjitas espantadas y algunas hasta tuvieron problemas porque una vez en Quito sorprendieron a tres besándole las llagas. Las tres se desmayaron ipso facto y otra que vino y las encontró tiradas al pie de la cama gritó ¡Milagro! y se desmayó también y después vino otra y lo mismo y una medio histérica que entró a ver qué pasaba chilló que era el Señor de los Desmayos antes de ahogarse en su propio alarido y de ahí al milagro, comprenderán ustedes...

—¿Pero no dijiste que apestaba horrores? —intervino mi padre.

—Yo qué sé, papá. A lo mejor en eso estaba precisamente lo milagroso: en que las monjitas le besaron las llagas porque no sentían el olor y...

—Anda hombre...

—Bueno, lo cierto es que lo curaban hasta dejarlo fresco como una rosa, lozano e italiano como Caruso porque él mismo les diseñaba, entre amables sonrisas de convaleciente de mártir, porque lo suyo había sido un verdadero martirologio, según afirmaban y confirmaban las monjitas, él mismo les diseñaba su nueva ropa de Caruso a la medida y volvía a salir al mundo en busca de una nueva vida, que era siempre la misma, dicho sea de paso. Negocios geniales, intensas jornadas con mil llamadas a la Bolsa de Nueva York, por ejemplo, presencia obligada, con deliciosas cajas de bombones, en todos los colegios de chicas, cambiando siempre de colegio para despistar a la Policía, y un día la cumbre: una nueva fortuna, fruto del negocio más genial o de estafas como las que le pegó a Pichón de Pato siete días antes de que lo conociera yo noqueado sobre el acerrín del «Bar Zela». De la cumbre a la primera gran borrachera, derrochando, rodeado de gloria y muchachitas en los cabarets más famosos. Eso podía durar días y hasta semanas. Duraba hasta que le salía la primera llaguita. Alguien detectaba el hedor en un fino cabaret. Cuatro, cinco meses después, patadas de asco como a un leproso de mierda y el pobre Guido con las justas lograba comprarse las últimas botellas de cualquier aguardiente, aquellas que se llevaba entre pedradas cuando la ciudad lo expulsaba hasta obligarlo a confundirse con sus propios muladares, ya convertidos en escoria humana.

—No son historias para contar en la mesa, asqueroso —intervino mi padre, por eso de la autoridad paterna.

—Bueno —dijo mi hermano que, a pesar de las copas, veía a través del alquitrán y además conocía perfectamente bien a mi padre—. Bueno —repitió—, entonces no cuento más. Y perdona, por favor, papá.

—No, no, termina; ya que empezaste termina —dijo, casi suplicante, mi padre. Y esforzándose, como quien intenta salir de su propia trampa, agregó secamente—: Termina pero sin olor.

—Imposible, papá.

—Cómo que imposible.

—Sin pestilencia no puedo terminar, papá.

—¡Me puedes decir qué estás esperando para terminar, muchacho del diablo!

—Que me des permiso para que apeste —le respondió mi hermano, tragándose una buena carcajada, al ver que mi padre caía una y otra vez en las trampas de la autoridad paterna.

—Termina, por favor —intervino mi madre, al ver los apuros en que se había metido la autoridad paterna.

—Bueno —empezó mi hermano, con voz pausada, deleitándose—, imagínense ustedes el muladar más asqueroso de Calcuta, pero aquí en Lima, lo cual, la verdad, no es nada difícil. Ubicación exacta: barriada del Agustino o, mejor dicho, muladares de las barriadas del Agustino. Allí donde no entran ni los perros sarnosos. Y sin embargo, desde hace algunos días hay algo que apesta más de lo que apesta el muladar. No, no son los gallinazos los que anuncian tanta pestilencia porque ahí hay gallinazos *night and day*. El muladar apesta como nunca. Apesta tanto a sabe Dios qué tipo de mierda reconcentra-

da, perdón, papá, a sabe Dios qué tipo de mierda reconcen-
trada, que los mendigos, los leprosos, los orates, los calatos de
hoy y de ayer y demás tipos de locos y excrementos humanos
empiezan a salir disparados, a quejarse, y hasta hay uno que
se convierte como la gente que se convierte de golpe al catoli-
cismo o algo así, sí, uno que era orate y calato y leproso y
sólo le pedía ya a los chanchos para comer y hacer el amor.
Pues nada menos que ése fue el que se convirtió, llevado por
tremebunda pestilencia. Tal como oyen. Tocó la puerta donde
unos Testigos de Jehová y contó, como nadie más que él habría podido hacerlo, exactamente lo que había olido, agregan-
do que quería confesarse con agua caliente y jabón. Testigos
fueron nada menos que los Testigos de Jehová, quienes a su
vez sentaron olorosa denuncia en la Comisaría más cercana.
Un teniente llamó a los bomberos y éstos acudieron como
siempre con sus sirenas, pero a medida que se iban acercando entre perros sarnosos que huían, leprosos sarnosos que los
seguían, despavoridos orates y demás tipos de calatos, aunque no faltaba algún loco que aún conservaba sus harapos,
cual recuerdo de mejores tiempos y olores, a medida que se
iban acercando los bomberos con sus máscaras y sus sirenas,
éstas iban enmudeciendo debido sin duda a la pestilencia, ya
ni sonaban las pobres sirenas entre tamaña pestilencia y los
pobres bomberos daban abnegados alaridos de asco en el
cumplimiento de sus abnegadas labores de acercamiento al
cráter y por fin uno gritó que era el de siempre, sólo que peor
que nunca esta vez, y que ahí estaba y hablando como siempre
en latín.
   —Yo sería partidario de terminar con el problema de las
barriadas mediante un bombardeo —intervino mi padre, en un
súbito aunque esperado y temido arrebato de justicia social.
Esa gente arruina la ciudad, y cuando no enloquece, los agita-
dores comunistas los convierten en delincuentes y hasta en
comunistas, en los peores casos. Un buen bombardeo...
   —¿Puedo acabar, papá?
   —Pero si ya todos sabemos que a ese pobre diablo lo volvieron a meter donde las monjas de la caridad y que éstas
lo volvieron a curar con lo que uno da de limosna o paga de

impuestos y que volvió a salir y terminar en la mugre. ¡Ah...! Lo que es yo, yo con unas cuantas bombas...

—El Papa Guido Sin Número murió anoche y fue enterrado esta mañana, papá, por si te interesa.

—Entonces ya qué interés puede tener.

—Asistió el cardenal Landázuri, por si te interesa, papá.

—O está chocho o ya se volvió comunista.

—Asistió el Presidente de la República, por si te interesa, papá.

—Un mentecato. Nos equivocamos votando por él. No ha sido capaz de bombardear una sola barriada en los dos años que lleva...

De golpe sentí una pena horrible al comprender que mi hermano no lograría terminar su historia, pero él estaba dispuesto a seguir luchando y por eso se tiró un pedo, dijo perdón papá, se tiró otro, y, ya sin decir perdón, dijo fue el tacu tacu que me tragué anoche con un apanado y siete huevos y que se iba a hacer del cuerpo, lo cual en buen cristiano ya sabes lo que quiere decir, papá, y desapareció antes que mi padre pudiera largarlo de la mesa por grosero. Al cabo de un rato me llamó y ése fue el día en que al mismo tiempo como que crecí y me hice hombre o me saqué el dedo de la boca o algo así. Mi hermano estaba sentado sobre su cama y dudó un momento antes de extenderme la copa de pisco con que nos hicimos amigos, al menos por unas horas, porque yo, claro... Pero en fin, eso vino después.

—¿Qué te pasa, Carlos?

—Me pasa que tuve que inventar todo lo del Cardenal y el Presidente pero ni así logré enterrar al Papa Guido como se lo merecía.

—Perdona... No... no te entiendo bien, Carlos.

—Que al entierro no fueron más que Pichón de Pato, un par de fotógrafos y cuatro curiosos. Yo, entre ellos...

—¿Y entonces por qué...?

—Porque por culpa de papá, de sus interrupciones y del desprecio que noté en sus ojos, le fui agarrando cariño a Guido y, al final, cuando lo de los bombardeos, hasta empecé a sentirme culpable de haber asistido a su entierro sólo por curiosidad... ¿Entiendes ahora? Entonces quise inventarle un entierro de Papa pero papá dale y dale con sus bombas de mierda y yo no sé cómo diablos se entierra a los Papas y no supe qué más agregar para joder a papá, ¿entiendes ahora?

—Carlos, seamos amigos... ¿Por qué no me llevas a esa cantina que se llama «Aquí se está mejor que al frente»?

—Salud —me dijo mirándome fijo y sonriente.

—Salud —le dije, horas más tarde, cayéndome de aguardiente y cariño, allá en «Aquí se está mejor que al frente».

Entonces supe que el Papa Guido Sin Número, interrogado por el sacerdote que vino a darle la extremaunción, había confesado ser legionario de los ejércitos de Julio César y que se hallaba perdido y que todo lo había probado con lujo de detalles y en perfecto latín y que le había metido el dedo al mundo entero y que Carlos no iba a volver más a casa por culpa de papá y que después dicen que es por culpa del comunismo internacional y que yo con el tiempo lo entendería siempre y cuando no le creyera tanto a los libros y que ya era hora de que volviera a casa y al colegio donde me mandaba papá y donde mamá y donde mis mayordomos y mis cocineras y mis uniformes y mi brillante porvenir pero que no me preocupara por eso ni por él tampoco y que me agradecía porque lo importante es haber encontrado aunque sea un amigo en esa familia de mierda y aunque sea sólo por unas horas. Manolo...

Londres y Les Barils (Normandía), 1985

A VECES TE QUIERO MUCHO SIEMPRE

«... y no hallé en qué poner los ojos
que no fuese recuerdo de la muerte.»

FRANCISCO DE QUEVEDO

A mis hermanos Eduardo, Elena y Nelson

Había amarrado la lancha pero se había quedado sentado en el pequeño embarcadero y desde ahí continuaba contemplando la casa al atardecer. Sintió que el mayordomo lo estorbaba, cuando se le acercó a preguntarle si estaba satisfecho con su día de pesca y si deseaba que se fuera llevando las cosas. Últimamente había notado lo mucho que le molestaba que Andrés fuera un mayordomo tan solícito y que apareciera a cada rato a ofrecerle su ayuda. Y detestaba que se interesara tanto por el resultado de sus días de pesca. La familiaridad de Andrés, que él mismo había buscado, al comienzo, empezaba a irritarlo, pero qué culpa podía tener el pobre hombre. Además, se dijo, Andrés es un excelente cocinero y esta noche podré tomar esa sopa de pescado que nadie prepara tan bien como él. Alzó la cabeza e hizo un esfuerzo para sonreírle.

—Hoy no he tenido muy buena suerte con los pescados —le dijo—, pero hay suficiente para una buena sopa. Llévate todo menos las botellas y el cubo de hielo. Y de paso sírveme otra ginebra. Mucha ginebra, mucho hielo, y poca tónica.

Andrés siguió al pie de la letra las instrucciones, le preguntó si no deseaba nada más, pero él no le contestó. Ya lleva varios días así don Felipe, pensó, mientras se alejaba por el embarcadero con ambas manos cargadas, comprobando que hoy tampoco había tocado las cosas que le puso para que almorzara en la lancha. Desde que le ordenó decirle a cualquiera que llamara por teléfono que se había ausentado indefinidamente, don Felipe se contentaba con el café del desayuno y después no probaba bocado hasta la noche. Y por la noche sólo tomaba la sopa de pescado, con una botella de vino blanco. En cambio la ginebra... El mayordomo sacudió lenta y tristemente la cabeza. Cruzó el enorme jardín y desapareció por una puerta lateral de la casa.

Felipe lo había observado, desde el embarcadero. Me pregunto qué cara pondría éste si Alicia apareciera aquí en Pollensa, pensó, sería capaz de pensar que se trata de una hija que nunca le he mencionado. Bebió un trago largo y pensó que podría haber brindado por Alicia. Después se dijo que Alicia era un nombre importante en su vida. A los diecisiete años había amado por primera vez, se había enamorado duro de una muchacha llamada Alicia, durante un verano en Piura. En la playa de Colán, ante unas puestas de sol que jamás volvería a ver, el tiempo se detuvo para que la felicidad de besarla se tragara ese treinta de marzo en que se acababan las vacaciones y llegaba el día inexistente del imposible regreso a Lima, y a los detestables estudios. Recordaba cartas de Alicia, desde Piura, pero ahora, en su increíble casa de Bahía de Pollensa, se sentía completamente incapaz de recordar cuánto tiempo duró esa correspondencia ni qué hizo al final con las fotografías que, a menudo, ella le enviaba en esos sobres gordos de páginas. Recordaba, eso sí, la voz ronca de un cantante llamado Urquijo, al que siempre se había imaginado como un maloso de burdel, por la voz tan ronca y tan hombre, precisamente. *Acuérdate de Alicia*, cantó Urquijo, una madrugada, en la radiola del burdel de Rudy. Él estaba bailándose a una buena zamba y tratando de bajarle el precio. Ya no se acordaba de Alicia y se lo hizo saber de la manera más fácil. No le contestó más sus cartas a la pobre Alicia. Así debía ser Urquijo en la vida real, y con esa voz.

Fui todo un hombre, se dijo Felipe, sonriendo. Pero esta vez sí brindó por Alicia, antes de llevarse el vaso a los labios. Esta Alicia tenía apenas tres años más que la muchacha de

Colán y estaba empezando sus estudios de Bellas Artes en la Universidad Católica. Y desde Lima, le escribía también cartas gordas de páginas que él respondía sin saber muy bien por qué. A veces relacionaba el asunto con su última visita al Perú, que había sido bastante agradable, pero le era imposible recordar el nombre del café de Barranco en que Alicia se le acercó con el pretexto de que lo había visto la noche anterior en la televisión. Felipe sonrió cuando ella le dijo que venía de su exposición y que estudiaba Bellas Artes en la Católica, mientras aprovechaba para sentarse a su lado sin preguntarle siquiera si estaba esperando a otra persona. Tomaron varias copas y Alicia no cesó de hablarle de sus cuadros, de alabarle cada vez más sus cuadros, hasta que por fin terminó diciéndole que era un trome porque exponía en París, en Tokio, y en Nueva York.

—¿Y tú cómo sabes tantas cosas? —le preguntó Felipe.

—Sé todo de ti, Felipe —le respondió ella, cogiéndole ambas manos y mirándolo fijamente.

—Entonces debes saber mucho más de mí que yo —le dijo él, divertido ante la insistencia nerviosa e intensa con que ella tenía los ojos negros y húmedos clavados en los suyos.

—Lo sé todo, Felipe.

—No me digas que esto va a durar toda la vida...

—¿Qué va a durar toda la vida?

—Esos ojos así.

Alicia dio un pequeño respingo en su silla y le acercó aún más la cara. Felipe le hizo creer que se daba por vencido y la invitó a comer a su hotel. No estaba vestida para ese comedor y debía de tener unos treinta años menos que él, pero el asunto como que se volvió más divertido, gracias a eso, precisamente. Alicia con su pantalón gastado de terciopelo rojo, con su chompa roja de cuello alto y que le quedaba enorme, y con una casaca de cuero negro que debía ser de su hermano mayor. El pelo largo, muy negro, y lacio, se metía en la conversación a cada rato y ella lo arrojaba nerviosamente detrás de sus hombros, mirando hacia ambos lados como si les estuviera diciendo quédense quietos, allí es donde deben estar, pelos del diablo. Su belleza no era extraordinaria, pero podía llegar a serlo, en ciertos movimientos, y sus ojos negros, cada vez más húmedos, definitivamente hablaban como locos. A Felipe le hacía gracia que ella ni cuenta se hubiera dado de donde estaban, ni de que ese comedor andaluz y recargado estuviera lleno de gente que lo conocía y que era imposible empezar a comer hasta que ella no le soltara las manos.

—Lo sé todo de ti, Felipe.

—Ésa parece ser tu frase favorita —le dijo él, sonriendo—. Y ahora, si no te importa mucho, nos soltamos las manitas y comemos algo.

Estuvieron en el bar del hotel hasta las tres de la mañana, y el pianista era tan viejo como él, por lo menos, porque les tocó y cantó *Acuérdate de Alicia,* a pedido del caballero. Esta Alicia era limeña, y a eso de las seis de la mañana, le juró que algún día se iría a Mallorca, a su casa de Bahía de Pollensa, a darle el encuentro y a vivir con él. Felipe se había arrepentido de haberla hecho subir a su cuarto, pero ahí seguían tendidos y desnudos sobre la cama cuando él le dijo que todo eso era un error y ella le cayó encima con todo su peso, para preguntarle de qué error estaba hablando. Felipe la puso suavemente a su lado, le dijo sé una niña buena, mira que ya van a ser las seis. Alicia se hizo la que rebotaba, y de un salto llegó hasta la silla en que se hallaba su ropa. Se vistió como pudo, lo besó, y desapareció sin que él supiera ni dónde vivía. Y a las dos de la tarde, cuando Felipe bajó de su habitación para salir a almorzar con su hermano, lo primero que vio fue a Alicia sentadita junto a la recepción.

—Atrévete a decirme que no te asustaste —fue el saludo de Alicia.

A Felipe le hizo gracia confesarle que, en efecto, había temido no verla más, y la invitó a almorzar con su hermano. Se habían citado en «La Costa Verde». En un segundo estamos ahí, le dijo Alicia. He venido con mi «Volkswagen» y en un segundito estamos ahí. Manejó como una loca, pero él se limitó a observarla de reojo mientras pensaba qué explicación le iba a dar a su hermano sobre esa chiquilla de chompa y pantalón rojos, casaca negra, y desbordante entusiasmo. Le había dicho a Carlos que quería almorzar en «La Costa Verde», pero afuera, en la terraza, lo más cerca del mar, aunque fuera pleno invierno.

—Me imagino que la chica es un regalo de tus noches bohemias —le dijo su hermano, mientras se abrazaban.

—Carlos —se descubrió diciendo él—: Alicia es mi acompañante oficial.

Luego los presentó jurando que, en efecto, eso era todo lo que sabía de Alicia, pero que en cambio ella lo sabía todo de él. El *maître* se acercó y Felipe le dijo que lo único que deseaba era excederse en el pisco souer y en el ceviche. A Carlos eso le pareció una excelente idea y Alicia dijo a mí también pero también quiero vinito blanco chileno, no seas malo, por favor, Felipe.

—Vinito blanco chileno también —le repitió Felipe al *maître*.

Dos horas más tarde, Carlos se despidió diciendo que insistía en que esa casa era una monstruosidad, que había arruinado la Bahía de Pollensa, que sólo a un pintor loco y botarate se le podía ocurrir construirse las ruinas de Puruchuco en Mallorca, y que cuánto habría tenido que pagarle a las autoridades para que le permitieran edificar un templo incaico bajo el sol de las Baleares. La verdad, concluyó, mientras se ponía de pie, la verdad es que he sentido vergüenza de estar en ese lugar sabiendo que mi hermano... La verdad es que no vuelvo a poner los pies en España porque me da vergüenza... Tal como lo oyes, Alicia, me da realmente vergüenza que alguien en España se entere de que soy hermano del dueño del Puruchuco balear. Y todo por una promesa que este hermanito mío le hizo a un viejo chocho en París... Pero eso que te lo cuente Felipe. Anda, dile que te lo cuente. Ya verás cómo al instante dejas de ser su acompañante oficial... Carlos le guiñó el ojo a Alicia y desapareció.

—Cuéntame cómo fue, Felipe —le dijo ella, apretándole fuertemente ambas manos y acercándole la cara. Tenía los ojos más húmedos que nunca, más brillantes e intensos y nerviosos que nunca.

—¿Cómo, tú no eras la que lo sabía todo de mí? —se burló Felipe.

Alicia le soltó las manos y se dejó caer sobre el espaldar de su silla. Felipe aprovechó para hacer lo mismo y de golpe se dio cuenta de que había bebido demasiado. Recordó al viejo chocho, como le había llamado Carlos, y recordó a Charlie Sugar y a Mario. Miró a Alicia pero Alicia estaba mirando el mar. Entonces decidió que no iba a hablar una sola palabra más. He bebido demasiado, se repitió, y además soy un sentimental de mierda. El día gris y triste de la costa peruana empezó a ponerse gris oscuro y horas más tarde el mar era como un sonido constante que venía de ese lugar inmenso en que todo se había puesto negro. Sólo por el sonido se sabía que el mar estaba muy cerca. Alicia y Felipe continuaban mudos y orgullosos en su mesa. Sin saberlo, los dos se habían prometido, al mismo tiempo, no ser el primero en hablar. Y así seguían en la noche demasiado húmeda y sin una sola estrella donde posar la vista para aguantar tanto frío sin hablar, sin decir me muero de frío.

Empezaron a encenderse luces verdes y los dos voltearon a mirar hacia el interior del restaurante. En unos minutos, todo estaría listo para la comida y pronto empezarían a llegar las primeras personas. Los mozos esperaban la llegada de las primeras personas. Alicia se dio por vencida.

—Tienes razón, Felipe —dijo—; hay muchísimas cosas que no sé de ti.

—Treinta años de cosas, más o menos, aunque eso no es lo peor. Lo peor es... No... Eso tampoco es lo peor... Lo peor no es que en una sola tarde no se puedan contar treinta años de cosas. Lo peor es que uno pueda pasarse horas aguantando tanto frío y todo porque no se debe hablar cuando se ha bebido más de la cuenta y eso por una sencilla razón: porque se ha perdido las ganas de hablar.

—No te creo —dijo Alicia.

—Yo tampoco me creía, hasta hace un rato.

—Entonces ya no podrás pintar como hasta ahora.

Felipe soltó la risa, pero inmediatamente se disculpó. Una cosa es no tener ganas de hablar, pensó, y otra, muy diferente, es herir a Alicia. Aunque no sepa ni quiera saber quién es. Aunque no sepa ni siquiera dónde vive ni de dónde ha salido.

Después recordó que Carlos, bromeando, se había referido a ella como un regalo de sus noches bohemias. Y volvió a reírse y volvió a disculparse inmediatamente. Entonces le dijo que no se iba a volver a reír más en la vida, porque se reía de puro bruto, sin saber realmente por qué, ni de qué, y que lo mejor era que se fueran a tomar una copa al hotel, si a ella le provocaba, y que después podrían comer juntos en el comedor andaluz, si a ella le provocaba, claro.

Alicia manejó como una loca, hasta el hotel, y él no logró encontrar una buena razón para quejarse. Tres días después fue la única persona en acompañarlo al aeropuerto y ahora habían pasado dos años de eso pero ella seguía escribiéndole cartas gordas de páginas en que le hablaba siempre de su sueño dorado de irse a vivir con él a Mallorca, de acompañarlo para siempre en su casa de Bahía de Pollensa, de ese sueño que se repetía en cada una de esas cartas que Felipe respondía sin saber muy bien por qué.

Esta vez, sin embargo, todo era diferente, porque Alicia estaba lista para venirse a España ya y porque esta vez él sabía perfectamente bien por qué no lograba responder a esa carta. Alicia sueña tercamente, se dijo, recordando que llevaba un mes sin atreverse a escribirle, y que ella le había rogado que le respondiera inmediatamente, a vuelta de correo, no seas malo, no me hagas esperar, por favor, Felipe.

La casa empezó a iluminarse, al fondo del jardín, y Felipe decidió abandonar el embarcadero. Prefería regresar porque Andrés no tardaba en venir a llamarlo y a preguntarle a qué hora deseaba que le tuviera lista su sopa. Cada día era lo mismo y a él cada día le costaba más trabajo soportar tanta solicitud. Varias veces desde que recibió la carta, Felipe se había imaginado a Alicia muerta de risa al llegar a su casa increíble y encontrarlo con un mayordomo que empezaba a cuidarlo como si fuera un viejo. La idea le resultaba insoportable, pero hoy, por primera vez, la asoció con las dos últimas visitas que había recibido. Recordó la ilusión con que había esperado a esas personas y cómo, de golpe, por algún ridículo detalle, su presencia se convirtió en algo realmente insoportable. Trató de pensar en otra cosa, al entrar en la casa, y le pidió a Andrés que le sirviera la sopa, no bien estuviera lista.

Acababa de ducharse cuando Andrés se acercó a la puerta de su dormitorio. Ya podía pasar al comedor. Haciendo un esfuerzo, le dijo al mayordomo que la sopa había estado como nunca, y que ahora, por favor, le llevara hielo, tónica, y una botella de ginebra al escritorio.

Y estuvo horas encerrado con los treinta años de cosas que quería contarle a Alicia. Pero después se dijo que así nomás no se metían treinta años en un sobre y se detuvo en los años del viejo chocho, como le había llamado su hermano a don Raúl de Verneuil, dos años atrás, en presencia de Alicia. A Raúl, a Mario y a Charlie Sugar, los conocí el 60 en París, Alicia, lo que no sé es si te hubieras divertido con ellos ni qué cara habrías puesto cada vez que Raúl empezaba a hablar de la guerra y nosotros teníamos que decirle, por favor, Raúl, a cuál de las dos guerras mundiales te estás refiriendo. Siempre tuvo más de ochenta años, muchos más, y cada noche, a las once en punto, un mozo se encargaba de desalojarle su mesa en el «Deux Magots». Era alto, gordo, algo mulato, y sumamente elegante. En París, para nosotros, el verano había llegado cuando Raúl aparecía en el café con su terno de hilo blanco, su corbata de lazo azul y blanca, a rayas, y una sarita que se quitaba sonriéndole a la vida. Cada noche en la puerta del café. Mario, Charlie Sugar y yo, lo esperábamos encantados, pero yo no sé si te hubieses divertido con nosotros ni qué cara habrías puesto cada vez que Raúl empezaba a hablar de César Vallejo y se ponía furioso porque él había sido su gran amigo y sólo ocho personas habían asistido al entierro del Cholo y él tenía por lo menos treinta libros en que unos imbéciles que se decían críticos habían escrito babosada tras babosada sobre la vida y obra del Cholo y aseguraban haber asistido a su entierro. ¡Oiga usted, señor obispo!, exclamaba Raúl, y sacaba por enésima vez la fotografía del entierro de Vallejo y eran sólo ocho las personas que asistieron y éste soy yo y el de mi derecha es André Breton, que ése sí que fue un caballero, ¡oiga usted, señor obispo! Y Vallejo no había sido un hombre triste, sino enamoradizo y muy vivo, y a la hija del panadero de su calle se la había conquistado y cada mañana iba a verla y a recoger

su pan. Y Vallejo era un dandy, además, y siempre le andaba
dando consejos a uno. Nunca había que bajar del Metro hasta
que no hubiera parado del todo, porque eso gastaba inútilmente las suelas de los zapatos. Y había que sentarse lo menos
posible porque eso le sacaba brillo a los fondillos del pantalón. ¿Y saben cómo hizo Picasso los dibujos de Vallejo? ¿Esos
dibujos que están en el museo de Barcelona? La gente dice
que fueron amigos, pero mentira, jamás fueron amigos. Lo
que pasa es que éramos dos peñas, en «La Coupone», la de los
latinoamericanos y la de los españoles, pero entonces ni Picasso era Picasso ni el Cholo era nadie tampoco. Fue cuando
se murió el Cholo que Picasso notó la ausencia de esa cara,
porque una cara así no era frecuente en París y es cierto que
el Cholo tenía unos rasgos muy especiales. Un español de la
otra mesa se nos acercó y nos preguntó por el de la cara tan
especial, que era la del Cholo, y nosotros le explicamos que
era peruano y poeta y que acababa de fallecer. Entonces el
español fue a su mesa y les contó a sus compatriotas, que nos
miraron con simpatía y afecto, y ahí fue cuando Picasso di-
bujó la ausencia de Vallejo, ¡oiga usted, señor obispo!
    Pero yo no sé si todas estas cosas te hubieran divertido,
Alicia. Y no puedo imaginarte noche tras noche en el café con
Raúl de Verneuil, con don Raúl de Verneuil, como le llamábamos nosotros. Un hombre que jamás en su vida trabajó y
que en 1946 regresó al Perú por última vez. Vivía en París
desde principios de siglo y era hijo de un francés que llegó a
crear la Bolsa de Lima y se casó con una hermana de González
Prada, ¡oiga usted, señor obispo!, exclamaba siempre Raúl,
cuando hablaba de González Prada, mi tío fue el más grande
anticlericalista del mundo, ¡oiga usted, señor obispo! Y gran
amigo del genial poeta Eguren, que vivió toda su vida detrás
de una cortinita y rodeado de las viejas beatas de sus hermanas. Había que verlas cada vez que aparecía por ahí González
Prada. Desaparecían en menos de lo que canta un gallo y no
bien se iba mi tío llamaban al obispo para que viniera a confesar al pobre Eguren y a echar agua bendita por toda la casa,
¡oiga usted, señor obispo!
    Si vieras, Alicia, hasta qué punto detestaba don Raúl el

año 46. Fue el año en que le dijo adiós para siempre a Lima, a su tierra natal. Él llegó de Buenos Aires, donde había estado pasando la guerra, la Segunda Guerra Mundial, no se hagan los tontos, muchachos. Llegó a Lima para estrenar su primera sinfonía. Raúl era músico, Alicia... Ya ves... Cansa tenerte que estar aclarando todo a cada rato... O se ha conocido a don Raúl de Verneuil o no se le ha conocido, ¿me entiendes, Alicia? Y además, yo no sé, la verdad, si todo esto te puede interesar. El año 46, tú ni soñabas en nacer y don Raúl estrenó *Puruchuco*, su primera sinfonía, en el Teatro Municipal de Lima. El público fue abandonando la sala, durante el concierto, y al día siguiente un crítico escribió que nunca se supo en qué momento había cesado de afinar la orquesta y en qué momento había empezado la sinfonía. Nosotros, Alicia, nos matábamos de risa, pero él agitaba los brazos y gritaba ¡país de analfabetos, ése!, ¡oiga usted, señor obispo! Sólo una gordita suiza supo decir lo que era mi sinfonía, lo que era *Puruchuco*, y a mí me dio pena dejarla en ese país de analfabetos y me la rapté del periódico en que trabajaba y me casé con ella, con Greta, pero eso sí, caballeros, a Greta la mandé muy pronto a vivir a Suiza porque me cuidaba demasiado. A los caballeros nadie los cuida, ¡oiga usted, señor obispo!

Resulta, Alicia, que don Raúl de Verneuil era un gran cocinero y el más grande comilón que he visto en mi vida. Le encantaba invitar gente joven y que de su casa nadie se moviera hasta la hora del desayuno. El que entra a mi casa no se va hasta mañana, le decía Raúl a los invitados y ay de ti si te querías ir antes del desayuno, Raúl había cerrado la puerta con llave y te mandaba a dormir en un diván que tenía para los que no saben vivir, ¡oiga usted, señor obispo! Y ahora me acuerdo cuando, durante una de esas parrandas, lo fregó a Chávez, un gran amigo pintor que vivía en París por esos años. Chávez empezó a burlarse de una estatuita africana de pacotilla que tenía Raúl. Una de esas que venden miles de negros en el Metro de París. ¿Cómo puede usted tener una mierda así, don Raúl?, le preguntaba Chávez. ¿No tiene nada mejor con que decorar su casita? Mira, muchacho, le dijo Raúl, don Raúl, como le llamábamos nosotros, déjeme esa estatuita en paz porque me la ha regalado mi vecina que es una muchachita de dieciocho abriles y hay que verla, ¡oiga usted, señor obispo! Pero Chávez se siguió burlando y don Raúl le dijo que él podía ser un gran pintor surrealista y todo lo que tú quieras, muchacho, pero yo fui amigo de Breton y si me tocas la estatuita ya vas a ver, yo te voy a enseñar lo que es el surrealismo. ¿Y si le rompo su mierdecita, don Raúl? ¿No me diga usted que se va a amargar porque le rompa esa mierdecita? Mira, Chávez, lo que yo te he dicho es que esa mierdecita me la ha regalado una muchacha de dieciocho abriles y que eso no se toca. Así siguieron un buen rato, Alicia, y por fin Chávez le hizo pedazos la estatuita. La que se armó. Don Raúl sacó el catálogo de la última exposición de Chávez, un verdadero libro lleno de formidables láminas en colores, y realmente lo hizo añicos mientras el pobre Chávez le decía pero no, don Raúl, pero si eso se lo he regalado yo con todo cariño. Te avisé, muchacho, le dijo don Raúl, te dije que yo te iba a enseñar lo que era el surrealismo. Tú me has roto mi estatuita y yo he hecho añicos tu surrealismo. Te advertí, te dije que yo fui gran amigo de Breton, de André Breton, ¡oiga usted, señor obispo!

Para don Raúl, Alicia, nunca hubo un problema en la vida. Se levantaba a las doce del día y jamás se acostó antes de las cuatro de la mañana. Nada era urgente. Nada lo sorprendía y jamás pudo concebir que alguno de nosotros tuviera problemas económicos. Recuerdo a Mario, la tarde en que llegó a su casa y le dijo don Raúl, estoy sin un centavo. ¿Sabes lo que le contestó él? Apúrate muchacho, apúrate que a las cinco cierran los Bancos. Genial fue también cuando dos argentinos confundieron a Charlie Sugar y a Mario con un contacto que tenían que establecer en París. Charlie y Mario andaban sin un centavo y estaban esperando que alguien pasara por el café para pagarles la copa de vino que habían pedido, cuando aparecieron esos dos tipos, los saludaron, se sentaron y empezaron a invitarles whisky tras whisky, y los otros felices porque llevaban siglos sin tomar un whisky. Pero resulta que los argentinos se habían equivocado, resulta que venían en busca de otros dos latinoamericanos con los cuales tenían que negociar el asesinato de Perón, que entonces vivía en Madrid y tenía pretensiones de regresar a la 'Argentina y presentarse a elecciones. Al principio, con tal de beber gratis, Charlie y Mario les siguieron la cuerda pero poco a poco el asunto se les fue poniendo feo. Por fin, Charlie, realmente asustado, optó por una nueva mentira, y les dijo que el jefe llegaba a las once. Y a las once, en efecto, apareció Raúl y los encontró muertos de miedo. Charlie le contó todo, como si Raúl estuviera al tanto de todo, e inmediatamente Raúl los invitó a cambiarse de mesa porque la suya era la del rincón, junto a la ventana que daba al bulevar, por favor, caballeros. Ahí pidió que le resumieran lo ya hablado, y luego, cuando uno de los argentinos empezó a precisarle una serie de datos, don Raúl, tranquilísimo, le dijo que él no se ocupaba del aspecto técnico sino del aspecto intelectual del asunto. En cuanto al bazooka al que se han referido ustedes, agregó, me parece un detalle insignificante. No hay nada más fácil que meter un bazooka a otro país. Charlie, dijo, entonces, explícale a estos caballeros cómo piensan meter ustedes el bazooka en España. Sólo el miedo, Alicia, hizo que a Charlie se le ocurriera cómo meter un bazooka de contrabando en España. Pidió otro whisky, para darse ánimos, y dijo que él había realizado esa operación en otras oportunidades y que lo mejor era colocarlo debajo de un automóvil, para que pareciera el tubo de escape. Después, don Raúl les preguntó a los argentinos de cuánto dinero disponían para la operación. Los escuchó decir la cifra, tranquilamente, les agradeció por tan generosa invitación, y les dijo que, al día siguiente, a las once en punto, les entregaría un informe detallado de todos los gastos. Los argentinos pagaron, se despidieron satisfechos, y no bien se alejaron Raúl soltó uno de sus infalibles ¡oiga usted, señor obispo! Charlie y Mario le preguntaron cómo pensaba hacer, al día siguiente, y Raúl les dijo pero ustedes son brutos o qué, muchachos, ¿no se les ha ocurrido que lo difícil es matar a Perón, pero que en cambio no hay nada más fácil en' el mundo que hacer un plan para matar a ese señor? Para empezar, lo que se necesita es comprar un departamento que quede enfrente de la casa de Perón. Y eso, muchachos, puede costar mucho más de lo que estos pobres diablos pueden ofrecernos. ¿No se dan cuenta, muchachos? Y, en efecto, el contacto se rompió cuando los argentinos aparecieron la noche siguiente a las once y don Raúl les explicó que lo sentía mucho por sus amigos, que andaban realmente necesitados de dinero, pero que la suma, por más vueltas que le había dado al asunto, tenía que ser el doble o nada. Un dólar menos y nos exponemos a un fracaso total. Los argentinos no volvieron a aparecer por el café.

¿Y, Alicia? ¿Qué te parece todo esto? ¿No te da pena pensar que Mario murió en El Salvador y que Charlie se arrojó al Metro y que don Raúl murió en su ley y que nadie ha vuelto a saber nada de Greta? ¿Y por qué demonios te va a dar pena si no los conociste? ¿Y por qué demonios tendrías que haberlos conocido? ¿Y cómo demonios los habrías podido conocer si eras todavía una colegiala cuando el último de ellos murió? ¿Sabes por qué se arrojó al Metro Charlie? ¿Te interesa saber cómo era Charlie y cómo sólo un tipo como él se pudo tirar al Metro por una cosa así? ¿Sabes acaso que era chileno y que decía soy, señores, el único pobre en el mundo que posee una villa *in the French Riviera*? ¿Sabes acaso que, por más borracho que estuviera, jamás contó cómo y por qué tenía la villa *in the French Riviera*? ¿Sabes que, habiéndola podido vender, jamás puso los pies en la villa? Charlie... Fue Mario el que me contó de los amores que tuvo con una millonaria norteamericana mucho mayor, y que al morir le dejó esa villa maravillosa. Se la dejó con la promesa de que a diario, mientras la siguiera amando, fuera a misa de siete a rezar por la salvación de su alma. Pobre Charlie, a veces le daban las cuatro con un vaso de whisky en la mano porque como él decía, como sólo él podía decir, yo soy un caballero señores, y reconozco que lo único que sé hacer bien en la vida es tener un vaso de whisky en la mano. Y al pobre le daban muchas veces las cuatro y todos nos íbamos a acostar pero él no podía. Temo, señores, decía, no llegar a la misa de siete. Y Charlie era la única persona a la cual Raúl, don Raúl, Alicia, en esas comilonas con desayuno que organizaba, le abría la puerta a las seis y media en punto para que no fallara a su misa de siete. Charlie...

...Que yo sepa, Alicia, es el único hombre en el mundo que se ha suicidado por dos mujeres. Por la norteamericana de la misa de siete y por la muchacha de tu edad, que lo obligó a fallar una vez a misa de siete. Charlie... Sólo cuando fuimos a reconocer el cadáver entendimos por qué, desde hacía unas semanas, a cada rato repetía las mismas palabras. Señores, decía, me ha pasado otra vez, pero al revés. Ahora es ella la de veintiún años y yo el de sesenta. Confieso que me ha pasado sólo una vez en la vida pero aun así es demasiado. ¡Oiga usted, señor obispo!, exclamó Raúl.

Nunca preguntas por Greta, Alicia. Ya ves cómo, por más que hagas, esta historia nunca te podrá interesar. ¿Cómo, si no la compartiste entonces conmigo, la podrás compartir ahora? Greta era la esposa de Raúl, pero tú hasta ahora no me has preguntado qué más hizo Raúl con la gorda, aparte de mandarla a Suiza porque a los caballeros no se les debe cuidar demasiado. Greta era profesora en Zurich y sólo se veían dos veces al año. Quince días en Navidad y Año nuevo, y el mes de agosto que pasaban juntos en Mallorca. Por Raúl conocí yo Mallorca, Alicia, y para mí que Raúl fue el primer veraneante extranjero que llegó a Mallorca. Fue el mejor, en todo caso, el más elegante y el más caballero. Eso fue en 1921, y en 1975 Raúl y Greta seguían ignorando que se podía llegar a Mallorca en avión. Los pobres gordos se pegaban una paliza tremenda. Una noche de tren, primero, hasta Barcelona, y luego todo un día de barco hasta Mallorca. Un día, al ver a Greta tan gorda, porque la verdad es que cada año llegaba más gorda y al final tenía que sentarse en dos sillas, en el café... increíble... Al verla así, Mario y yo le dijimos madame, porque a Greta siempre le dijimos madame, nunca Greta, nosotros pensamos, madame, que tanto usted como don Raúl deberían ir a Mallorca en avión. Raúl protestó, porque los caballeros siempre habían viajado en tren o en barco, pero al final, con la ayuda de Greta, logramos convencerlos y quedamos en ocuparnos de todo y en acompañarlos al aeropuerto.

¡Habráse visto lugar más feo!, exclamó Raúl, no bien llegamos al aeropuerto, ¡oiga usted, señor obispo! Y en seguida nos dijo que quería ver los aviones y lo acompañamos y Mario y yo soltamos la carcajada cuando dijo cómo diablos voy a saber cuál es el mío, si todos son igualitos. Le explicamos que

a los pasajeros los llamaban por los altoparlantes y que luego
pasaban por el control y que después tenían que llegar hasta
una puerta, la que correspondía al avión que iban a tomar.
Nos íbamos muertos de risa, Mario y yo, pensando que Raúl y
Greta ya estarían acomodándose en sus asientos, cuando lo
escuchamos gritar ¡Muchachos, muchachos! ¿Pero Raúl? Ja-
deaba, apenas podía hablar, se había regresado corriendo desde el avión, atropellando a medio mundo, apenas podía hablar.
Muchachos, nos preguntó, ahogándose casi, ¿y a esas señori-
tas tan guapas y elegantes que lo atienden a uno en el avión,
se les da propina?

Raúl... Greta y Raúl... Nosotros nunca quisimos a Greta
porque no le dejaba comer ni beber en paz, porque lo volvía
loco cuidándolo. La verdad, Alicia, no bien Raúl nos anunciaba
la llegada de Greta, apenas si caíamos una noche por el café
y eso de pura cortesía. Con Greta, Raúl perdía casi todo su encanto, aunque como decía Charlie, con toda razón, desde que
a Raúl se le fueron acabando sus rentas, era ella quien lo man-
tenía desde Suiza, y eso era quererlo mucho y realmente creer
en él como músico, porque Raúl no había vuelto a dar un sólo
concierto desde el 46 y a ninguno de nosotros le constaba que
siguiera componiendo, aunque el pianito que tenía en su casa
estaba siempre abierto, con un cuaderno de música encima
y algunas notas dibujadas con un lápiz tembleque. La verdad,
Alicia, es que sólo después de su muerte logré que Greta me
prestara la partitura de *Puruchuco* y pude consultar con el
director de la Orquesta Sinfónica de Bruselas. Mire usted, señor, me dijo, su amigo habría necesitado llamarse Beethoven
para que una obra así se pudiese interpretar. El último movimiento, sólo el último movimiento, requiere de un coro for-
mado por quinientas princesas del Imperio incaico. Le devol-
ví la partitura a Greta, por correo, y nunca más volví a saber
de ella.

Pobre gorda, lo feliz que era flotando como una ballena.
Le encantaba Mallorca porque decía que era el sitio en el mundo en que mejor se flotaba. Lo descubrió en 1921, cuando se
metió por primera vez al mar, ahí, y me imagino que se pasaba
el año en Zurich soñando con el mes de agosto que le esperaba

en Mallorca. Un verano, aparecimos Charlie, Mario y yo, y a diario contemplábamos la misma escena. Un taxista, que debía de tener la edad de Raúl, o casi, los venía a buscar desde siempre y les cobraba la misma tarifa del año en que los conoció. Un caballero español, decía Raúl. Y sentado en la terraza de un bar, al borde del mar, tomaba vino blanco y muy seco mientras ella flotaba feliz y le hacía adiós a cada rato. Es feliz, decía Raúl, aunque jamás respondía a los saludos que Greta le enviaba desde el agua. Y no bien empezaba a sentir hambre, se ponía de pie, y aunque estaba en una isla, el grito era siempre el mismo: ¡Greta, abandona inmediatamente el océano y regresa al continente! La escena se repitió exacta, cada mes de agosto, desde 1921 hasta 1977. Después regresaba el taxista y los llevaba a la misma vieja casona de Palma que alquilaron siempre. Y por el mismo precio de siempre, nos contó Raúl, un día. Porque muchachos, en este caso, se trata también de un caballero español.

Raúl tenía noventa y dos años cuando murió, Alicia. ¿Te importa? ¿Te interesa saber lo hermoso y triste que es que un hombre muera en su ley? ¿Te interesa saber cómo murió Raúl y cómo yo no podía creer que ese hombre había muerto? Se acerca al fin de todo y de todos, Alicia.

El fin empezó en el cumpleaños de Mario. Lo celebró en grande, como siempre, y nos emborrachamos también como siempre, y recordamos que hacía dos años que Charlie nos había abandonado. Yo, Alicia, sentí por primera vez que era muy injusto ser mucho menor que ellos, detesté tanta fama y tanto dinero y tanto viaje a Nueva York y a Tokio y a Milán y a Amberes y a Zurich y a Frankfurt, y por ese lado me seguí emborrachando. Más tarde empecé a decirme que jamás me había casado y que mi casa eran doce hoteles en doce ciudades diferentes. Y estaba pensando en el suicidio, por primera vez en mi vida, cuando Raúl exclamó ¡oiga usted, señor obispo! No sé quién le había hablado del año 46 en Lima y Raúl se había puesto de pie para decir que los limeños eran todos unos mazamorreros de mierda. Que sólo sabían comer mazamorra y que no se merecían tener cerca de Lima unas ruinas como las de Puruchuco y que en la vida tendrían otra oportunidad de escuchar una sinfonía suya, y mucho menos la llamada *Puruchuco*, porque así lo tenía ya dispuesto él en su testamento. ¿Y tú volverías a Lima?, le preguntó Mario, de pronto. ¡Quisiera, muchacho!, le respondió Raúl. ¡Pero sólo por ver Puruchuco! ¡Ahí jugué yo de niño! Y no sé, Alicia, no sé cómo me descubrí haciéndole la promesa de construir Puruchuco, exacto y nuevecito, en Mallorca. ¡Oiga usted, señor obispo!, exclamó Raúl, volteando a mirarme. ¡Hay un lugar llamado Bahía Pollensa! ¡Tú construye, muchacho, que para eso tienes fama y dinero! ¡Pero eso sí, el que estrena soy yo! ¡Una frijolada monstruo! ¡Frijoles bien negros que encargamos chez «Fochon». ¡Que ellos se ocupen de trasladarlos hasta Bahía de Pollensa! ¡Yo, señores, me encargo de conseguir veinte negras de esas que lo pasean a uno en culo! ¡Y las lavamos en Puruchuco y con esa agua hacemos hervir los frijoles! ¡Oiga usted, señor obispo!

En septiembre, Greta llamó a todos los amigos de Raúl para avisarles que había muerto y que lo había enterrado en Mallorca, porque así lo había dispuesto en su testamento. Mario y yo fuimos a verla juntos y ella fue la que terminó consolándonos. Suiza de mierda, dijo Mario, no bien salimos, apenas si supo contarnos que murió en su ley, lo cual para ella, por supuesto, fue una temeridad más de Raúl. Murió veinte días después de su cumpleaños, celebrando su salida de la clínica. Un infarto lo tumbó el día de su cumpleaños, y mientras lo trasladaban a la clínica abrió los ojos y dijo: Pero no se me rompió la copa, oiga usted, señor obispo. Y veinte días después insistió en celebrar su total restablecimiento y a Greta la trató de suiza de mierda cuando ella le dijo que eso era una locura. Tú vete a flotar, si quieres, pero yo esto lo celebro o no me llamo don Raúl de Verneuil. Un bárbaro, nos había dicho Greta. Lo que él quería era no romper la copa y salió con la suya y fue de lo más fastidioso tenerlo que enterrar en Mallorca. Don Raúl de Verneuil, Alicia, murió dejando sesenta sinfonías. Todas dedicadas a madame Greta de Verneuil.

Y hace cuatro años, Alicia, que Mario me llamó a mi hotel, en Nueva York, y me dijo pensar, viejo, que estamos en la misma ciudad y que no podemos tomarnos un trago juntos. ¿Por qué?, le pregunté. Pues mira, viejo, por qué va a ser. Resulta que estoy jodido y me voy a El Salvador para morirme allá. Pero Mario... Ni modo, Felipe, si ya me están llamando para el embarque. O sea, Alicia, que Puruchuco nunca se estrenó y aquí vivo y aquí pinto y aquí pesco y aquí soporto cada día menos las perfecciones de mi mayordomo Andrés o las visitas de mi secretario y las llamadas de mi marchand. Y ahora te voy a leer una cosa que escribí el día que recibí tu carta. No sé por qué lo puse en tercera persona. En fin, tal vez para darme la ilusión de que ese tipo no era yo, pero ese tipo sí soy yo, o sea que para la oreja, Alicia.

«Se había vuelto un viejo cascarrabias, antes de tiempo, o por lo menos poco a poco se estaba convirtiendo en eso, a pesar de que solía pintar como si no lo fuera, tal vez para darse la ilusión de que no lo era y nada más. Su única nobleza, en todo caso, consistía en no querer envolver a nadie en sus rabietas de solitario, en cumplir con su trabajo, y en una cierta delicadeza que lo llevaba, a menudo, a ser muy cortés con la gente que estaba de paso y hasta a tomarles un secreto cariño que sólo se confesaba cuando ya era demasiado tarde porque ya se había ido. Entonces se sentía bien un par de horas y en eso consistía su moral.»

Dejó el papel a un lado, cogió otra hoja, y empezó a escribir, «Querida Alicia, sin duda alguna, una chica como tú habría disfrutado en un lugar como éste». Dejó la pluma a un lado, y estuvo largo rato contemplando el mar en la noche llena de estrellas que le permitía ver la gran ventana de su escritorio. Volvió a coger la pluma, de golpe, y escribió: «A veces te quiero mucho siempre.» Después pronunció el nombre de Alicia y decidió que era mejor dejar la carta para el día en que viniera el secretario. Prefería dictar.

Cap Skirring, Senegal, 1985

APPLES

A María Eugenia y François Mujica

Hay viajes, ni siquiera viajes, porque son simples recorridos por la ciudad, por un barrio de la ciudad, y que sin embargo resultan interminables, dolorosas aventuras de condensación, de descubrimiento. Y hay descubrimientos que no son más que el enorme resumen de todos nuestros problemas, Juan. Las flores que aquí te traigo, me digo, me lo repito ansiosa de llegar a tu departamento, luchando con las esquinas, todas aquellas esquinas por las que puedo torcer a la derecha, a la izquierda, y nunca llevarte nada. Y aquella esquina definitiva por la que he deseado irme a veces para siempre. He tratado de hacerlo, pero ya sé, ya sé, tu amor gana, como todas las veces aquellas en que huí y te fui dejando huellas para que me encontraras. Nunca he amado así, tampoco, pero también a eso le tengo miedo.

Contigo no hay pasado, contigo sólo hay presente, y contigo no hay futuro porque yo no quiero que haya futuro contigo. Y por eso, claro, es por eso que sólo hay este interminable presente. Ya te llevé las flores, ahí las encontrarás ante tu puerta, pero yo sigo andando y repitiéndome las flores que aquí te traigo, y me duele horriblemente. Hoy he querido matarte. Te puse las manzanas medio podridas junto a las flores, y tomé conciencia de que con ellas podía matarte. Tomé conciencia sólo entonces. Hasta entonces eran un regalo porque te gustan así, medio podridas, para prepararte tus compotas. Ahí me vino la idea, encontrará las flores tan bellas, tan frescas; bellas, frescas y jóvenes como yo. Y como es un tipo demasiado sensible, como es un tipo que parece viejo junto a mí, mucho mayor que yo, verá el ramo de flores que soy yo, verá al llegar a su puerta las manzanas que son él, y comprenderá que he querido matarlo. Y eso lo matará. Lo matará. Aunque sea poco a poco. Cuando sepa que yo he pensado así, que he imaginado eso, que sabiendo todo eso no he retirado las manzanas, eso lo matará.

Y nada es culpa tuya, Juan. En el presente inmenso camino con las flores que aquí te traigo y quiero entregárselas a tanta gente. Juan, hay un tipo de muchacha, sobre todo, que me aterroriza. Bastó con que empezara a llevarte las flores para que empezaran a surgir en mi camino. Es tu cumpleaños y amanecí sonriente, amándote tanto. Te imaginé amaneciendo en tu departamento plagado de objetos, de cuadros, tu viejo departamento parisino donde si hubiera futuro quisiera perderme y que el miedo jamás me volviera a encontrar.

Tu piano, tu pasión por la música, tu pasión por algo, tus horas de estudio, la grandeza con que callado te enfrentas al trabajo mientras yo corro y quiero huir y huyo dejándote huellas para que me encuentres. Perdóname, Juan. Perdonarte qué, me preguntas siempre, mientras encuentras, siempre, también, la palabra más apropiada para que jamás se note que he intentado herirte. Tu piano, tus horas de estudio, tu departamento plagado de cuadernos de música, de tantos cuadros y de tantos objetos. Yo no puedo pintar los cuadros. Yo no te he obsequiado esos objetos. Perdóname, Juan. Perdonar qué. Y mil veces, una palabra en inglés con la que en vez de descubrir la falla, la escondes, la evitas para siempre, con tanto amor, con tanta ternura, con toda la bondad del mundo. Me entrego a tus brazos cuando encuentras la palabra en inglés que embellece hasta el olvido lo que soy y eres capaz de convertir mis tentativas de huir en la travesura de una niña con futuro.

Pero todo es presente y hoy es tu cumpleaños y desperté soñando ya con tu departamento y con estas flores que aquí te traigo. Le voy a comprar a Juan el más lindo ramo de flores que encuentre. Iré a comprarle las manzanas más podridas que se vendan en el mercado y, esta noche, cuando regrese de su viaje, tras haber triunfado en su concierto de Bruselas, encontrará las flores y podrá prepararse una compota. Juan, esto era todo mi programa para el día. Juan, esto es todo lo que tengo para todo el día. Nada más que hacer. Bueno, tal vez encontrarme con uno de los muchachos que odio, uno de los chicos con quien te engaño, y sobrevalorarme diciendo que Juan regresa esta noche de otro triunfo en Bruselas ocultando siempre que hoy cumples otra vez muchos años más que yo.

Tenía lágrimas en los ojos cuando me desperté soñando con un día tan lindo, con tu retorno, con la sorpresa que te iba a dar. Las flores. Tu compota. Era como si acabaras de pronunciar una palabra en inglés con respecto al resto de mi día, a la idea que ya empezaba a metérseme de encontrar a alguno de los chicos con que te engaño para vanagloriarme. Pero no estabas. No estabas y no había palabra tuya que me convirtiera en una niña muy traviesa. Y recordaba tus largas horas de trabajo, tu fuerza de voluntad, la forma en que puedes practicar horas y horas tu piano y amarme y saberlo todo. Sí, lo sabes todo. Quisiera matarte.

Juan, hay un tipo de muchacha, sobre todo, que me aterroriza. Las flores que aquí te traigo, lo repito y lo repito, pero ya han aparecido dos de esas muchachas y he querido obsequiarles tus flores. Son muchachas más altas que yo, más jóvenes que yo, y sobre todo son de un tipo terriblemente deportivo. Cruzan las esquinas fácilmente, Juan. Tienen algo que hacer, Juan. No les importaría tu piano, Juan, ni que andes siempre pasado de moda, ni que tengas también muchos años más que ellas. Juan, no las mires nunca, por favor. Pero tú, además, ni siquiera las ves. Adoro tu bondad. Esas muchachas son, Juan, son para mi mal. No sé qué son, no las soporto y quiero inclinarme, no sé si deseo que me peguen o hacer el amor con ellas. En todo caso quiero quitarles al muchacho que va con ellas. Aunque vayan solas quiero quitarles siempre al muchacho que va con ellas. Juan, tú y yo lo sabemos, y no hay palabra tuya en inglés que me convierta en una niña traviesa cuando me tropiezo con esas chicas tan lindas. Me dijiste que yo era *a queen*. Otro día me encontraste *most charming*, otro día citaste el más maravilloso verso de Yeats. Te sonreí. Y tú sabes de tu fracaso, no lograste encontrar una palabra y odio tu piano. Te mentí una sonrisa y lo sabes también. Juan, debes sufrir mucho por mí.

Las flores que aquí te traigo, lo repito y lo repito, pero he mirado a una de esas muchachas con descaro. Qué fácil caminan. Qué bien les queda la ropa. Qué tranquilas y qué tranquilamente caminan. Sus ojos, sus cabellos, las piernas, los muslos, las nalgas. Quise arrodillarme y entregarles las flores. Una, dos muchachas así llevo ya encontradas en mi camino con las flores que aquí te traigo. Qué trabajo me cuesta llegar a tu departamento. Y me falta el ataque de angustia en tu ascensor, todavía. Es todo lo que he aprendido en la vida, estos ataques de angustia en silencio, sin que nadie los note. Hasta me gustan porque parece que es entonces cuando se me abren enormes los ojos y miro sin ver y la gente me baja la mirada y me siento fuerte, casi tanto como para causarle miedo a la gente, a lo mejor hasta para causarle miedo a esas muchachas terriblemente deportivas. Por qué, Dios mío, por qué, si soy tan bonita, tan joven, si te quiero tanto, si me quieres tanto, si no necesito para nada de esos muchachos terriblemente deportivos, adolescentes de aspecto, tranquilos de andada, serenos en los inquietos vagones del Metro. Ya sé que la vida no es así, me lo explicaste con amor, pacientemente, pero tal vez si en lugar de esas lágrimas que te saltaron a los ojos, tal vez si en su lugar hubieses encontrado algunas palabras en inglés... No lo lograste. Y desde entonces te quiero matar.

He regresado a la derrota de mi vida. El camino hasta aquí lo hice destrozando este día de tu cumpleaños en que amanecí soñando con tus flores y tus manzanas. Con cuánta ternura las busqué, con cuánta ternura las compré, escogiéndolas una por una, para ti, mi amor, por tu cumpleaños. Esta búsqueda, esta compra, esta selección, han sido mi día, eran para ti, Juan, eran para ti, que por la noche regresabas de Bruselas. Y ahora, la caminata hasta tu departamento me ha traído hasta este lecho donde yazgo. Sigue el presente, Juan. Estoy desesperada, tan sola, tan triste, tan inútilmente bella. Le he robado a una de esas muchachas este muchacho. Ya hicimos el amor y ya le conté que acababa de matar a un pianista llamado Juan. No me entendía bien, al principio, o sea que le conté que había sido primero un regalo de cumpleaños, una sorpresa para tu retorno, y, luego, después, de pronto, un crimen premeditado, un perfecto crimen por telepatía. Por fin, me entendió: tras haberte dejado mi regalo, las flores se convirtieron en mí, las manzanas en ti. Yo soy las flores, tú eres las manzanas, viejo, podrido, muerto.

Sigo sola, Juan, sigo huyendo, qué horrible resulta huir sin haberte dejado huellas. Estoy sentada en una estación de tren y no sé cuál tren tomar. Regresar a París... No me atrevo, no me atrevo sin haberte llamado antes. Y ahí está el teléfono pero no me atrevo, esta vez no me atreveré a llamarte. Y tú, ¿cómo podrías llamarme?, si no te he dejado huellas esta vez. Pobre, Juan, cuántas horas al día estarás tocando tu piano mientras yo regreso. No merezco regresar, Juan. No te olvides que te he matado.

Juan, hay una oportunidad en un millón de que me salve. Y todo depende de ti. Estoy loca, estoy completamente loca, pero de pronto estoy alegre y optimista porque todo depende de ti. Juan, tienes que llamarme aquí, no es imposible, no es imposible, estoy en la estación de Marsella, tienes que adivinarlo, ¿recuerdas que aquí nos conocimos? Y cuando hablemos, agradéceme las flores, Juan, y no hables de manzanas. Llámalas *apples*, agradéceme *the apples*, por favor, Juan. Hay siempre un futuro para una niña traviesa. No te olvides: *apples*, Juan, por favor, gracias en Marsella...

París, 1979

EL BREVE RETORNO DE FLORENCE, ESTE OTOÑO

A Lizbeth Shaudin y Herman Braun

No podía creerlo. No podía creerlo y me preguntaba si en el fondo no había esperado siempre que algo así me ocurriera con Florence. El recuerdo que había guardado de ella era el de horas de ésas felices, pero felices a mi modo, como a mí me gustan. Y tal vez el trozo de soñador que aún queda en mí había creído firmemente, intermitentemente, puede ser, qué importa, que de todos modos algún día la volvería a encontrar. Reconozco haber pasado largas temporadas sin recordarla conscientemente, sin pensar en aquello como algo realmente necesario, pero también recuerdo decenas de caminatas por aquella calle, deteniéndome largo rato ante su casa, ante aquel palacio que fuera residencia de madame de Sevigné, y que por los años del destartalado colegito en que conocí a Florence, era ya el museo Carnavelet, pero también, en un sector, la residencia de Florence y de su familia. En 1967, cuando mi madre vino a verme a París, la llevé a visitar ese museo, y juntos nos detuvimos ante una escalera que llevaba al sector habitado, mientras yo le hablaba un poco de Florence, de los años en que fui su profesor, de cómo jugábamos en la nieve, y como mi madre iba entendiendo, le hablé también de todas esas cosas que en el fondo no eran nada más que cosas mías.

Pero de ahí no pasó el asunto, principalmente porque yo

ya estaba bastante grandecito para subir a tocarle la puerta
a una muchacha que se había quedado detenida casi como una
niña, en mis recuerdos de adulto. Y sin embargo... Y sin embargo no sé qué, no sé qué pero yo seguí creyendo muchos
años más en un nuevo encuentro con Florence. Y ahora que lo
pienso, tal vez por eso escribí sobre ella guardando muchos
datos, el lugar, mi nacionalidad, nuestros juegos preferidos, y
hasta nombres de personas que ella podría reconocer muy
fácilmente. Sí, a lo mejor escribí aquel cuento llevado por la
vaga esperanza de que algún día lo leyera y me buscara por
todo lo que sobre ella decía en él, a lo mejor lo escribí, en
efecto, como una manera vaga, improbable, pero sutil, de llamarla, de buscarla, en el caso de que siguiera siendo la misma
Florence de entonces, la bromista, la alegre, la pianista, la hi-
persensible. No puedo afirmarlo categóricamente pero la idea
me encanta: Un hombre no se atreve a buscar a una persona
que recuerda con pasión. Han pasado demasiados años desde
que dejaron de verse y teme que haya cambiado. En realidad
le teme más a eso que a las diferencias de edad, fortuna, etc.
Escribe un cuento, lo publica en un libro, lo lanza al mar con
una botella que contiene otra botella que contiene otra botella
que... Si Florence ve el libro y se detiene ante él, es porque
reconoce el nombre de su autor. Si Florence compra el libro
es porque recuerda al autor y le da curiosidad. Si Florence lee
el cuento y me llama es porque se ha dado el trabajo de buscar mi nombre y mi dirección, porque me recuerda mucho, y
porque el cuento puede seguir, pero aquí en mi casa, esta vez.
La idea es genial, posee su gota de maquiavelismo, *ma conte-
nutíssimo, pas d'ofense, Florence,* aunque tiene también su
lado *andante ma non troppo,* ten paciencia, Hortensia. La idea
es, en todo caso, literaria, y está profundamente de acuerdo
con el trozo de soñador que queda en mí, me encanta. Salud,
James Bond. Pero a James Bond no le habría conmovido, chaleco antibalas, tecnócrata, etc. Cambio de intención, y brindo
por el inspector Philip Marlowe. Y como él, me siento a morirme de aburrimiento en el destartalado chesterfield de mi oficina, pensando en los años que llevo sin ver a Florence, porque
ello me ayuda a llevar la cuenta de los años que llevo sin ver

alegría mayor alguna entrar por mi puerta. No más James
Bond, no más Philip Marlowe, *El viejo y el mar* es el hombre.

Un día sucedió todo. Y de todo. Qué sé yo. No podía creerlo y tardé un instante en comprender, en captar, en reconocer
la fingida voz ronca con que me estaba resondrando por ser
yo tan estúpido, por no haberla reconocido desde el primer
instante. Finalmente Florence me gritó que su casa estaba
llena de botellas. Le grité ¡Escritora!, ¡premio Nobel!, y terminamos convertidos, telefónicamente, en los personajes de esta
historia.

Después, claro, a la vida le dio por joder otra vez, aunque
yo le anduve haciendo quite tras quite. Ella también, es la verdad. Por eso seguirá siendo siempre Florence W. y Florence.
En voz baja, y con tono desencantado, debo decir ahora que
Florence se había casado. Y debo añadir, aunque ya no sé en
qué tono, que la boda fue hace un mes, tras un brevísimo ro-
mance a primera vista, o sea que hace unos tres meses, digamos... No, no digamos nada. La boda fue hace un mes y punto.
El afortunado esposo (podría llamarlo simplemente «el suer-
tudo», pero la cursilería esa de afortunado esposo es la que
mejor le cae a esta raza de energúmenos cuya única justifica-
ción es la de saber llegar a tiempo) es un hombre mucho más
joven que yo, médico, deportista y sumamente inteligente. La
verdad, le tomé cariño y respeto, y con más tiempo pudimos
llegar a ser amigos, pero no hubo mucho más tiempo porque
yo me fui antes de que la historia empezara a perder ángel o
duende o como sea que se le llame a eso que le quita todo
encanto a las historias. En el amor como en la guerra... En
fin, *me fui como quien se desangra.* No había sido nunca mi
intención ese cariño que sentí brotar por Florence, aquella noche en su casa; ni siquiera cuando me llamó por teléfono,
creo. Si deseé tantos años un nuevo encuentro fue porque me
gusta apostar que hay gente que no cambia nunca. Gané, claro,
pero acabé yéndome así, como dijo el gaucho.

Bueno, pero démosle marcha atrás a la historia, que eso sí
se puede hacer en los cuentos. Aquí estoy todavía, dando de
saltos en el departamento, y sin importarme un pepino que
Florence se acaba de casar hace un mes. Su ronquera me ha-

cía reír a carcajadas. ¡Ah!, Florence no cambiaría nunca. Como no entendía de parte de qué Florence era, fingió esa ronquera para darme de gritos por teléfono y acusarme de todo, de falta de optimismo, de falta de fantasía, de todo. ¡Florence no había cambiado! Me esperaba mañana, no, mañana no, ¡esta misma noche te espero porque estoy temblando de ganas de verte! ¡Hasta mañana no aguanto! ¡No puede ser verdad! ¡Pero es verdad y yo también he soñado con volver a verte! ¿Te acuerdas del colegio? ¿Te acuerdas cuando se suicidó mi hermana? ¡Creo que gracias a ti se nos fue quitando la pena en casa! ¡Diario llegaba yo y les contaba todo lo que tú contabas! ¡En casa empezaron a reír de nuevo...! ¡Otro día..., mañana, mañana mismo, así nos vemos hoy y mañana te llevo a ver a mis padres! ¡Siempre quisieron conocerte! ¡Van a estar felices cuando sepan que todavía andas por acá! ¡Ya vas a ver! ¡Te van a invitar mil veces! ¡Pero más todavía te vamos a invitar Pierre y yo! ¡He tratado de traducirle el cuento a Pierre! ¡Lo inquieta, no logra entender, es imposible que logre entender! ¡Es como si fuera algo sólo nuestro! ¡Me has hecho vivir de nuevo esos años y estoy feliz! ¡Es muy explicable que Pierre no entienda! ¡Fueron *cosa nostra* esos años! ¡Pero no te preocupes por lo de Pierre! ¡Yo lo adoro y tú vas a quererlo también! ¡Le voy a decir a Pierre que no me reconociste en el teléfono! ¡Sí, pero tardaste! ¡Te mato la próxima vez! ¡Bueno, yo siempre soy tan debilucha pero Pierre te mata la próxima vez!

Yo seguía saltando horas después. Claro, lo de Pierre no era como para tanto salto, pero al mismo tiempo qué me hacía con Pierre si paraba de saltar. Además, Florence era la misma, sólo a ella se le hubiese ocurrido fingir esa ronquera para darme de gritos por no haberla reconocido en el acto. Y ahora que recuerdo mejor, fue por eso que dejé de dar brincos como un imbécil. ¿Y yo? ¿Seguía siendo el mismo? Eran diez años sin verla. Diez años también sin que ella me viera a mí. Y en el cuento me había descrito visto por ella, como ella me vio entonces. Un tipo destartalado, con un abrigo destartalado, que vivía en un mundo destartalado. ¿Y cómo la vi yo a ella? A pesar de los contactos, que fueron tan breves como tiernos, Florence era una adolescente inaccesible, casi una niña aún, un ser inaccesible que regresaba cada día al palacio de madame de Sevigné. Había llegado, pues, el momento para una gran fantasía. Yo deseaba ser feliz, y ya por entonces había aprendido a conformarme con que esas cosas no duran mucho. Me vestí para un palacio.

Total que el que aterrizó esa noche ante el departamento de Florence era una especie de todo esto, encorbatado al máximo, y oculto el rostro tras un sorprendente ramo de flores, a ver qué pasaba cuando le abrieran y sacara la carota de ahí atrás. Estaba viviendo una situación exagerada, pero yo ya sé que de eso moriré algún día. Lúcido, eso sí, como esa noche ante el departamento de Florence y notando ciertos desperfectos. El barrio no tenía nada que ver con el barrio en que vivía antes. La calle tampoco, el edificio mucho menos, y ni qué decir de la escalera... Por esa escalera jamás había subido un tipo tan elegante como yo, y yo no era más que una visión corregida, al máximo eso sí, pero corregida, del individuo de mi cuento anterior. ¿Qué demonios estaba ocurriendo? ¿Qué había fallado? No podía saberlo sin tocar antes. Pero en todo caso yo seguía temblando oculto tras las flores como si no pasara nada. Es lo que se llama tener fe.

Y así hasta que ya fue demasiado tarde para todo. Si las flores que traía eran precisamente las que Florence detestaba, ya las tenía en una mano y la otra en el timbre. Si el nudo de la corbata se me había caído al suelo, ya tenía una mano ocupada con las flores y la otra en el timbre. Si Florence me iba a encontrar absolutamente ridículo, ya tenía las flores en la derecha y la izquierda en el timbre. Lo mismo si Florence se había casado con Pierre: la derecha en las flores, la izquierda en el timbre. Abrió. Estuvo no sé cuánto rato no pasando nada cuando me abrió. Yo había puesto la cara a un lado de las flores para que me viera de una vez por todas, y al verla me pregunté qué habría sido del elegantísimo mayordomo árabe de mi cuento anterior. Increíble, seguía notando desperfectos y seguía también lleno de fe, aunque Florence no se sacaba el cigarrillo barato de la comisura de los labios por nada de este mundo y ni por asombro era Florence. Hasta que me equivoqué. Y todo, realmente todo empezó a funcionar cuando apareció su sonrisa y me preguntó si había hecho un pacto con el diablo o qué. Soltamos la risa al comprender juntos que ella ya no era la chica de quince años sino una mujer de veinticinco y que yo ya no era el viejo profesor de veinticinco años sino un hombre metido hasta el enredo en una situación exagerada. Por ahí, por el fondo, por donde tenía que aparecer, empezó a aparecer Pierre. No sé si Florence, pero yo sí comprendí que nos quedaban sólo segundos.

—Carga esto que pesa mucho —le dije, entregándole el ramo.

Y ahora era Florence la que estaba oculta tras las flores.

—Entra —me dijo—, no te vas a quedar ahí parado el resto de la vida.

Quise abrazar a Pierre, pero claro, todavía no lo conocía, y los franceses son más bien parcos en estas situaciones. No quise pues pecar de sentimental, y me limité a darle la mano, mostrando eso sí un enorme interés por todas las ramas de la medicina que practicaba. Aún no practicaba ninguna, se acababa de graduar de médico y ni siquiera tenía consultorio todavía. Pero practicarás, le dije, practicarás, y ya verás cómo todo en adelante, cómo todo en adelante... Cambié a deportes. Florence me había dicho que Pierre era muy deportista, o sea que cambié a deportes y me interesé profundamente por todas las ramas del deporte que practicaba. Me dijo que sólo tenis, y últimamente muy de vez en cuando, era muy difícil en París, no había tiempo para nada, y además con la tesis de medicina. Practicarás, le dije, practicarás, y ya verás cómo todo en adelante, cómo todo en adelante...

—¡Tiene una raqueta de tenis y una tesis de medicina! —gritó Florence, en un esfuerzo desesperado por aliviarme tanto sufrimiento.

Quedó agotada, y el cigarrillo barato empezó a notársele más que nunca en la comisura de los labios. Además, la ronquera que fingió en el teléfono resultó ser su voz a los veinticinco años. El grito me convenció, era algo que yo no había querido aceptar. Y sin embargo, ahora... ¡Ah!, si tuviera que seguir escribiendo toda la vida sobre Florence... Ya no podría ser más que con la voz con que te quedaste agotada tras el grito, Florence. Bueno, le tocaba a Pierre.

—¿Por qué no se sientan? —nos dijo—, descansen un poco mientras les traigo algo de beber.

Casi lo abrazo, pero preferí obedecerlo como a un médico, y sentarme como en un consultorio. Florence cayó en el mismo sofá, fumando como una loca. Pierre se fue a buscar vasos, hielo, y una jarra de sangría a la cocina, porque todo esto ya no tenía nada que ver con el palacio de madame de Sevigné. No sé si Florence, pero yo sí comprendí que nos quedaban sólo segundos.

—¡Grita de nuevo! —le grité.

—¡Cállate! —me gritó.

—Niños, esténse quietos —dijo Pierre, desde la cocina.

—¡Cállate! —le gritó Florence.

—¿No pueden estarse quietos un momento?

Eso fue el hijo de puta de Pierre, otra vez. Florence se agarró toda la cabellera larga, rubia, rizada, y se la trajo a la cara, para desaparecer. Me preocupaba mucho pensar que el cigarrillo seguía ardiendo ahí abajo, y empecé a obrar en ese sentido, acercándome bomberamente, y alejándome no bien me di cuenta de que me estaba acercando a Florence. Opté por la palabra.

—Regresa —le dije, con voz que no se oyera hasta la cocina—. Tengo miedo de que te quemes el pelo.

—Aquí se ha apagado todo con mis lágrimas —dijo Florence, riéndose con una risa nerviosa que no se oyera hasta la cocina.

—¿Emocionada?, ¿emocionada, Florence? —pregunté, puesto que había optado por la palabra.

Confieso que ésta es la frase más estúpida que he pronunciado en mi vida. No supe qué hacer con ella, hasta ahora no sé qué hacer con ella, pero la incluyo porque me la tengo merecida. Optar por la palabra. Mira a lo que lleva. ¿Emocionada?, ¿emocionada, Florence? Me la tengo merecida. Tremendo manganzón. ¿Emocionada?, ¿emocionada, Florence? Pensar que sólo con tres palabras, de las cuales una, Florence, se puede decir una estupidez semejante. Pues eso hice yo, y cuando nos quedaban sólo segundos.

Lo que sigue se lo dejo al psicoanálisis. ¿De dónde se me ocurrió una cosa así? ¿A quién se le ocurre? Hasta me había olvidado del asunto cuando Pierre nos dijo que nos sentáramos, que nos iba a traer un trago, pero no bien empecé a sentir algo frío en la nalga izquierda, recordé con horror que me había traído la petaca llena, mi petaquita finísima de Gucci, que hace juego con mi portadocumentos y mi billetera, la botellita forrada en cuero y que contiene trago sólo para dos. Para la interpretación de los sueños, el asunto. Sólo a mí se me ocurre. Y sólo a mí me ocurre que se empiece a vaciar en el bolsillo. La tapé mal, me dije, moviendo ligeramente el culo, lo cual sólo sirvió para que me mojara un poquito más. Total que cuando Pierre regresó de la cocina ya no debía quedar más que un trago en la petaquita.

—Mira, Pierre —le dije—: tenía en casa un poco de whisky sensacional. Esto sólo se consigue en Escocia. —Y saqué como pude la petaca chorreada del bolsillo.

—¡A beberlo! —gritó Florence.

—Es que sólo me quedaba para uno —dije—. Y lo he traído con la intención de que lo pruebe Pierre.

—¿Y no se te ocurrió que a mí también me podría interesar? —gruñó Florence, resentidísima.

Me hubiera gustado que nos quedaran sólo segundos, para explicarle lo inexplicable, pero ahí estaba Pierre, y ya se había apropiado de la petaca. Me lo agradeció mucho, el muy imbécil, y empezó a servirse.

—Aquí hay más de una dosis. Aquí hay dosis y media.

—Bébetela toda —dijo Florence—. Nosotros tomaremos la sangría. Tenemos lo suficiente para emborracharnos mientras el muy egoísta de Pierre se toma tu whisky.

Esto último lo dijo mirándome fijamente, y agarrándose de nuevo la cabellera, ya bastante desgreñada, para traérsela a la cara. Pero sólo un poco, esta vez, para desaparecer un poco solamente. Pierre le dio un beso donde pudo, Florence dio un beso donde pudo, porque Pierre ya se estaba sentando en el sillón de enfrente, y yo alcé mi copa y dije ¡Salud!, pensando palomos, tórtolas de mierda.

—¡Salud! —dijo Florence, alzando demasiado su copa.

—Salud —repetí yo, alzando demasiado mi copa.

—Salud —dijo Pierre, alzando mi whisky, y añadiendo—: Paren ya de temblar, relájense, se les va a derramar todo.

—En mi caso —dije, dejando establecido—, se trata de la enfermedad de Parkingson. Nací con la enfermedad de Parkingson.

Florence emitió un gemido y salió disparada a la cocina. Yo dije que se le estaba quemando algo, Pierre me sonrió afirmativamente, y yo repetí que a Florence se le estaba quemando algo, a ver si me volvía a sonreír afirmativamente. Me dijo que mi whisky estaba excelente.

Pierre tenía, por lo menos, diez años menos que yo. Eso lo capté de pronto, y de pronto también empecé a sentir la necesidad de confesarle algo, necesitaba decirle que en la petaca había habido whisky para dos, whisky para los dos, no para ti, Pierre. Me sentí indefenso, no encontraba odio por ninguna parte, y lo peor de todo era que Florence me estaba llamando desde la cocina. Opté por no escucharla, puse cara de no estar escuchando nada, empecé a beber más y más sangría, le serví sangría a Pierre para cuando acabara su whisky, seguí poniendo cara de no estar escuchando nada, y casi digo que si me estaba llamando era porque se le estaba quemando algo, a ver si Pierre me volvía a sonreír afirmativamente. Porque Florence realmente me estaba llamando a gritos desde la cocina.

—Llévale su vaso —me dijo, sonriendo afirmativamente.

Estuve a punto de decirle ¿y qué va a ser de ti, mientras tanto?, pero el aventurero que hay en mí optó por el silencio. Desgarrado, y con la petaca vacía nuevamente en el bolsillo mojado, me dirigía a la cocina con dos vasos llenos de sangría. Entré como soy, por eso no podré saber nunca qué cara tenía cuando entré a la cocina con dos tragos templeques. Sólo sé que conmigo venían también el soñador y el observador que hay en mí, aunque recordaré siempre que este último le cedió definitivamente el paso a aquél, al llegar a la puerta y encontrar a Florence con un cucharón en la mano. Llevaba siglos esperándome, y esta vez sí es verdad que tenía lágrimas en los ojos.

—¿Qué es lo que se ha quemado? —le pregunté, con voz

que se oyera hasta donde estaba Pierre.

—Nada, no se ha quemado nada, y todo está requetelisto.

—Hay que avisarle a Pierre que no se ha quemado nada.

Florence me pidió que le entregara los dos vasos, los puso sobre la mesa, y·se acercó para abrazarme. No, no hubo besos ni nada de eso. Yo lo único que sentía eran sus brazos, con fuerza, y sus mejillas húmedas, y me imagino que ella también eso era lo único que sentía. Tampoco sé cuánto duró pero perdimos el equilibrio varias veces y sólo una vez logramos decir algo cuando tratamos de decir algo.

—Mira —me dijo—, quiero que sepas que pase lo que pase, que por más tonterías que diga, que por más que meta la pata, que por más que parezca que esta noche se derrumba...

Apreté fuertísimo.

—Aquí lo único que se derrumba soy yo, Florence. Pierre es un santo.

Florence apretó lo más fuerte que pudo al oírme hablar tan bien de Pierre.

Y, por supuesto, ahora le tocaba a Pierre. Nos llegó su voz desde el otro lado.

—A ver si comemos algo, Florence. Me muero de hambre.

—Florence, ¿por qué no le dices al Papa que pare ya de bendecir? Se pasa la vida bendiciéndonos el tipo.

Soltamos.

Durante la comida me fui enterando de que Florence me había preparado sus platos especiales, y de que a Pierre le gustaba tanto el vino como a mí. De otra manera no podría explicarse que comiéramos y bebiéramos tanto, esa noche. Me enteré también de que la ronquera de Florence se perdía en los años en que había empezado a fumar dos paquetes diarios de tabaco barato, negro, y sin filtro, y que lo del piano se había ido quedando relegado a muy de tarde en tarde. Florence ya no era una pianista como en el cuento que yo había escrito sobre ella. En realidad, no sé qué quedaba ya de Florence, ni ella misma hubiera podido decir qué quedaba ya de Florence. Y sin embargo seguí comiendo y bebiendo como un burro y con la absoluta seguridad de haberle ganado mi apuesta a la realidad. Y es que no hubo un sólo instante en que Florence hubiese cambiado, ni siquiera sentada en esa mesa y en ese departamento medio destartalados.

Pero, ¿qué había sido del palacio?, ¿qué demonios hacía viviendo con Pierre en un departamento así? No sé en qué momento logré hacer esas preguntas que tanta risa le dieron a Florence, pero lo cierto es que Pierre, que era el encargado de la lógica esa noche, y que hasta permitió que ella y yo nos declaráramos la guerra a servilletazos, imitando nuestras peleas en el colegio de mi cuento, Pierre, que también permitió que Florence me tocara música de Erik Satie y de Fafa Lemos sobre el mantel, mientras que yo le corregía la posición de las manos, porque así no tocaba una buena pianista, y ella las volvía a poner mal para que yo se las volviera a corregir, Pierre, Pierre, no hay otra cosa que decir sobre Pierre, Pierre se encargó de aclararlo todo.

—No vamos a seguir viviendo a costa de sus padres, ¿no? Yo acabo de graduarme y no gano casi nada, por el momento. Hemos alquilado este departamento hasta que encuentre un trabajo estable. Mi idea es encontrar con el tiempo un departamento mucho más grande, donde pueda también abrir mi consultorio.

—Ya ves, no quiere perderme de vista un sólo instante.

—Hace bien, Florence.

Pierre bendijo ese par de idioteces, pero ya Florence y yo habíamos quedado en que la noche no se derrumbaba por nada de este mundo. Hasta habíamos comentado mi frase inmortal: ¿Emocionada?, ¿emocionada, Florence? Florence me dijo que sí, que en efecto se había muerto de vergüenza ajena al oírmela decir, y aprovechó la oportunidad para soltar la carcajada que se había tragado entonces. Peleamos a muerte, pero Pierre nos hizo amistar. Al pobre Pierre lo estábamos metiendo de cabeza en mi cuento anterior, lo estábamos metiendo en asuntos que no le concernían en lo más mínimo. Yo había llegado al punto de confesar lo de mi petaquita, tratando, eso sí, de aclarar que había sido sin segunda intención, que había sido psicoanalítico en todo caso, y narrando con lujo de detalles lo mal que la pasé mientras se me iba derramando en el bolsillo. ¡Felizmente!, gritó Florence, mirándome y soltando la carcajada, confesando que ella también las había pasado pésimo al ver la mancha en el sofá, había creído que se trataba de otra cosa. ¡Felizmente!, volvió a gritar, sin poder contener la risa. Por fin, hacia el postre, confesé que me había vestido para cenar con madame de Sevigné, y Pierre a su vez confesó que ellos se habían vestido para comer con el profesor de mi cuento, algo más destartalado sin duda ahora por diez años más de penurias en París.

—La idea fue de Florence —siguió confesando Pierre—. A mí me dijo que me pusiera la ropa que uso cuando arreglo mi motocicleta.

Se ganó un manotazo de Florence. Yo, en cambio, me gané las dos manos de Florence apretando fuertísimo el antebrazo de terciopelo negro de mi saco, mientras me clavaba los ojos de cuando nos quedaban sólo segundos.

Y cuando terminamos de comer, Florence decidió que había llegado el momento de que le leyera el cuento, quería escuchar el cuento leído por mí. Fue a traerlo, mientras yo volvía a sentarme sobre mi mancha en el sofá, y Pierre en el sillón de enfrente, cada uno con su copa de vino en la mano. Había algo extraño en el ambiente cuando Florence regresó apretando con ambas manos el libro contra su pecho. Yo, en todo caso, empecé a sentirme bastante mal y tuve la impresión de que la mirada siempre sonriente de Pierre no bastaba esta vez para que todo pareciera normal. Florence estaba temblando, pero de pronto como que decidió que ahí no pasaba nada y me entregó el cuento. Empieza a leer, me dijo, tirándose sobre la alfombra, de tal manera que su cabeza y sus brazos llegaban hasta mis rodillas, mientras que con los pies podía darle siempre paraditas a Pierre para que se quedara tranquilo. Pero ahí nadie se quedaba tranquilo.

Leer fue como si nos quedaran nuevamente sólo segundos. Pero por última vez, ahora. Sí, fue la última vez, y los dos estuvimos muy conscientes de eso. Leer fue escuchar a Florence y reír y juguetear como en ese cuento, como en éste, también, ahora que lo escribo. Fue escuchar sus aplausos y recibir las caricias que me hacía en las rodillas, cada vez que en mi lectura me refería a ella como a un ser inolvidable. Fue recibir sus golpes y castigos cada vez que me refería a ella como a un ser insoportable. A Pierre le seguían lloviendo pataditas, y eso me tranquilizaba, pero hacia el final, al acercarme al desenlace, Florence estuvo escuchando unos instantes inmóvil. Apoyó la cabeza sobre mis rodillas, cogió mi mano derecha entre las suyas, y permaneció inmóvil hasta que terminé de leer.

—Ahora dedícamelo —dijo. Seguía sin moverse—. Dedícamelo, por favor.

—Bueno, pero vas a tener que soltarle la mano porque no creo que sea zurdo —dijo Pierre.

Me soltó la mano, mirándome con demasiada tristeza, con algo de agotamiento, como si estuviera regresando, como si le costara trabajo regresar de algún lugar lejano y cómodo. Entonces yo le cogí las manos, pero solté, y ella también me las volvió a coger un instante y también soltó de nuevo. Todo pésimamente mal hecho, con la habitación dándome vueltas por todas partes, y de pronto con Pierre más que nunca en el sillón de enfrente. Florence sacudió la cabeza con toda el alma, y se fue gateando a buscarlo. Le tocaba a Pierre que, por supuesto, ya tenía listo el bolígrafo con que yo iba a dedicarle el cuento a Florence. Terminó emborrachándome el desgraciado con su sangre fría. Y cuando me arrojó suave, bombeadito, el bolígrafo, desde el sillón de enfrente, donde Florence le abrazaba las piernas, a mí llegó un bolígrafo que, eso sí, mi honor emparó perfecto, desde un sillón a mi derecha y otro sillón a mi izquierda y un montón de sillones más donde Florence también le abrazaba las piernas.

Seguía dedicándole el libro a Florence cuando me desperté el día siguiente, tardísimo, y recordando que estuve horas y horas dedicando y dedicando por todos los espacios en blanco que tenía el libro, hasta en la cubierta del libro dediqué algo. Creo, no, no creo, estoy seguro de que cada una de las mil frases que escribí estuvo a la altura de mi frase inmortal. ¿Emocionada?, ¿emocionada... Florence? Y tenía un dolor de cabeza exagerado hasta para quien le ha tocado vivir una situación exagerada, aunque aquello no impidió que me diera desesperados cabezazos contra la almohada. ¿Emocionada?,

¿emocionada, Florence? Pasé a la historia, sentía que había pasado a la historia, estaba sintiendo que había pasado a la historia, cuando sonó el teléfono. Florence, por supuesto, para decirme que no había pasado nada, y para quedarse callada luego un rato largo. Casi le aseguro que en todo caso yo no me acordaba de nada, pero ella no había cambiado y ahora era ya una mujer y también maravillosa.

—¿Quieres que cuelgue primero? —le dije, y colgué.

París, 1979

DESORDEN EN LA CASITA

A Bárbara Jacobs y Augusto Monterroso

Fue por la radio. Él no tenía entonces discos ni tocadiscos, o sea que fue por la radio que Los Churumbeles de España lo hirieron tanto con esa canción que hoy ha saltado a su vista mientras busca discos viejos en una tienda de México. Sonríe mientras recuerda perfectamente bien la letra y música: *En una casita chiquita y muy blanca, camino del Puerto de Santa María, habita una vieja muy buena y muy santa, muy buena y muy santa, que es la madre mía. Y maldigo hasta la hora en que yo la abandoné, a pesar de sus consejos, no me quise convencer...* Se acerca a la caja y compra el disco, luego regresa al «Gran Hotel» y cancela todas sus citas.

Tumbado sobre la cama contempla la fotografía de Los Churumbeles de España. Debe ser de por el año cincuenta y lo que no se explica es cómo siendo un niño entonces, sí, su hermano menor nació cuando él tenía siete años, cómo y por qué siendo un niño entonces pudo haberlo herido tanto que su madre fuera una vieja muy buena y muy santa, su madre era entonces aquella mujer joven y alegre que por esos días había dejado la amplia blusa amarilla de sus recuerdos por el traje de maternidad con que se la llevaron una noche a dar a luz a José, su hermano menor.

Lo de la casita chiquita y muy blanca resulta mucho más explicable porque él estaba construyendo una casita de ce-

mento en un rincón del jardín y pensaba pintarla de blanco.
Cuando en las noches, tumbado en su cama, la imaginaba ter-
minada y mucho más hermosa que la casa que estaban edifican-
do decenas de albañiles al lado de la suya, la casita era blanca,
chiquita y muy blanca, y a él le habían dicho que no bien
terminara sus estudios primarios con las monjitas pasaría a
un colegio de hombres grandes y fuertes, el Santa María, donde
lo educarían unos sacerdotes norteamericanos grandes y fuertes. Entonces él decidió no escribirle más que una sola carta
a Albert Robles y concibió un plan para que Albert Robles
nunca más le volviera a escribir.

Trabajó hasta muy tarde en la casita y se marchó satisfecho, pues le habían quedado muy bien las estructuras para el
techado del primer piso. Después tendría que pensar en la pintura de la fachada, chiquita y muy blanca, y después en la
pintura de diferentes colores para las habitaciones de los altos
y los bajos. Su dormitorio sería muy chiquito y muy blanco.
Tan chiquito que de ninguna manera habría sitio en él para
su hermano menor. Su hermano menor no existía. No tenía
por qué existir. Aún no existía, y mientras estuviera a su alcance él haría todo lo posible para que nunca existiera.

Le alegraba pensar lo bonitos que iban a quedar el dormitorio de su papá y mamá, el de sus hermanas Silvina y Matilde, el de tiíta Lalita, la pobre, con mucho espacio para su reclinatorio y sus santos, los de los mayordomos y Amparo y la
cocinera y uno muy bonito también, entre nuestros dormitorios y los de los sirvientes, para nani Charlotte, porque nani
Charlotte era francesa y era su nani y no comía en el comedor
del servicio pero tampoco en nuestro comedor. O sea, pues,
que algo a medio camino y tal vez de color rosado. Felizmente
tenía ya resuelto ese problema en el plano de la casita porque
a su papá no le gustaba que madame Charlotte siguiera durmiendo con Pablín y decía que esa señora necesitaba un dormitorio propio y que hacía tiempo que pensaba en ello, algún
día les iba a dar una sorpresa: madame Charlotte tendría su
propio dormitorio y José, porque él quería otro hombrecito,
dormiría en el cuarto con su hermano Pablín, ¿qué te parece,
Pablín?

Pablín decidió resolver el problema lo más pronto posible, porque no quería sorpresa ninguna de su padre y consideraba que su mamá lo ofendía y lo traicionaba y que se burlaba de él cada vez que le rogaba a papi que le revelara su sorpresa, cuéntanos, papi, por favor, entonces sólo a mí, papi, por favor. Pero su padre siempre respondía ya verán —ya verán y ya verás—, ya verás, y él se ponía furioso cuando le decía ya verás, mi amor, a su madre, porque mami también era su amor, lo que pasa es que papi es un amarrete y siempre se lo agarra todo para él. Bien hecho: yo ya vi la construcción de al lado y tengo un sitio especial para nani Charlotte. Abro una puerta en el descanso de la escalera y, en el corredor que lleva a las habitaciones de servicio, pero sin acercarme mucho, ahí pongo a nani pero sin acercarme mucho a los dormitorios de Amparo y la cocinera y además con un baño sólo para nani Charlotte porque ella no come ni con nosotros ni con los sirvientes y así estará contenta porque no tendrá que compartir el baño con ellos ni nosotros tampoco con ella. Lo gané a papá. He tenido que cambiar el plano de la casita pero ya lo gané a papá. Tengo un plano nuevo y cuando nazca José no habrá sitio en ninguna parte para él. No nacerá porque no habrá sitio en ninguna parte para él.

Mamá entraba a ver los planos de la casita y lo acariciaba cuando él le enseñaba cómo había resuelto el problema. Y lo besaba con la ternura de mami pero no podía evitar reírse de mí. Y me decía tantas cosas y maldigo hasta la hora en que yo la abandoné, a pesar de sus consejos, no me quise convencer. Y además voy a escribirle una carta, la única, a Albert Robles, en Tucson, Arizona, para que nunca me vuelva a escribir. Y además nunca voy a ir a un colegio de hombres grandes y fuertes camino del Puerto de Santa María porque yo soy el hijo menor de mami y José nunca nacerá en mi casita.

Pero mami vuelve a entrar cada tarde a ver cómo progresa el plano de la casita ahora que he cambiado algunas cosas y todo eso que me dice con tanta ternura pero riéndose como si se burlada de mí, no seas tan loquito, Pablín, todas esas palabras que me dice y que antes me encantaba oír resulta que se llaman consejos. Mamá me da consejos, mami me aconseja que no sea así pero se está burlando de mí y no voy a seguir sus consejos porque tiíta Lalita, la pobre, dice que los consejos son unas cosas que se siguen o no. Seguiré construyendo mi casita como la he dibujado y José no nacerá y Albert Robles no me volverá a escribir nunca más. Felizmente que en esto mami sí dice que está de acuerdo porque ha visto la foto de Albert Robles, en Tucson, Arizona, y cree que las monjitas del colegio se han equivocado y me han escogido un corresponsal mayor que yo en los Estados Unidos.

Lo difícil que ha sido enseñarle a tiíta Lalita, la pobre, a tomar fotos. Siempre tarda un montón en levantarse de su reclinatorio porque papá dice que uno se demora mucho en volver del cielo. Y el cielo debe quedar lejísimos porque tiíta Lalita, la pobre, ha tardado muchísimo en bajar esta tarde. Pobrecita, pero cansa el miedo que le da y por eso ha tenido que jalarla y jalarla de la manga porque con el miedo que le da y con el rosario y todas sus estampitas por nada del mundo quiere soltarse y se queda horas agarrada al reclinatorio por miedo a caerse antes de aterrizar. Ha sido muy difícil esta tarde porque yo estaba apurado y ella no quería soltar y tuve que jalarla hasta que se me cayó, felizmente que me dijo no me ha pasado nada felizmente, y alabado sea el Señor. Pero un poco más distraída que de costumbre sí que estaba y gracias a eso ni cuenta se dio de que me había puesto collar y aretes y el lápiz de labios de mami, con las justas alcancé a su repisa y ahora tengo que darle las fotos al chófer para que las lleve a desarrollar con mi propina. Papá ya sabe que tengo que mandarle unas fotos a Albert Robles, el corresponsal que las monjitas del colegio me han puesto en Tucson, Arizona, *in the south and in the west of the United States of America which is NOT the United Kingdom*, Pablín.

Gané. Pasan las semanas y Albert Robles no me ha vuelto a escribir. Él mismo me dio la idea. Era mucho más alto y más fuerte que yo y se hizo fotografiar con pantalones largos y un perro enorme a su lado. Igualito que si ya fumara, me dijeron Silvina y Matilde, y mami se rió mucho al darles la razón. Gané. Albert Robles no me volverá a escribir nunca y la casita avanza mucho más rápido que la construcción de al lado y mami sigue sin usar los vestidos de maternidad, no de ma*t*renidad, Pablín, de ma*t*ernidad, y además se pone la blusa amarilla todos los días si yo se lo pido mientras me da consejos y no nos ponemos de acuerdo como cuando tiíta Lalita, la pobre, me dijo que no la gritara porque no lograba tomarme las fotos, es que una mano no se me pone de acuerdo con la otra, Pablín, aunque Silvina y Matilde dicen que a tiíta Lalita, la pobre, nada se le pone de acuerdo con nada, nunca, porque es la hermana tonta de abuelito, será por eso que papá dijo una palabra rarísima un día de mal humor, dijo que qué Lalita la pobre ni ocho cuartos, que lo que habían hecho con Lalita era *endilgar-se y la*, pero después se puso más furioso todavía porque Silvina y Matilde también lo oyeron y todos vimos a mami llorar muy buena y muy santa y mis hermanas dijeron que tiíta Lalita era tontonaza y papi les gritó que estaba terminantemente prohibido, como casi todo lo que yo hago, terminantemente prohibido, ¿me oyen?, volver a repetir esa palabra mientras él viva, y un día todos salimos corriendo a ver si papá no se había muerto porque a Silvina se le escapó la palabra y felizmente que no, o sea que tiíta es Lalita la pobre terminantemente prohibido.

Estaba ganando como nunca y todavía podía ganar del todo cuando tiíta Lalita, la pobre, abrió la puerta que daba del comedor al jardín y le gritó: ¡Ha nacido Pepito! ¡Tienes un hermanito! Él la miró desconfiado, desde su rincón, pensando que la cigüeña no llegaba tan rápido porque venía de París y no de los Estados Unidos. Tumbado en la cama del «Gran Hotel» sonríe mientras piensa que el colmo habría sido que le mandaran un hermano del tamaño de Albert Robles, de Tucson, Arizona, además de todo. Después voltea y mira sobre la mesa de noche la fotografía en colores de su madre con la blusa amarilla. Hoy ya sería muy vieja y muy santa. Tararea la canción y recuerda el espanto con que lo llevaron a empezar sus estudios secundarios camino del Puerto de Santa María: a pesar de sus consejos, no me quise convencer.

Pero todavía puede ganar y da las últimas capas de pintura blanca y cuando mami regrese verá que no estamos de acuerdo porque no hay sitio en mi cuarto para José Pepito porque yo soy el hermano menor y ya ven cómo Albert Robles nunca me volvió a escribir, yo sé por qué, y así también tampoco habrá sitio para José Pepito y mi hermano menor no ha vuelto ni volverá a existir.

Contempla la fotografía en colores de su madre con la blusa amarilla y le duele aún el día de su doble derrota atroz, la tarde en que aprendió la atroz palabra atroz, cuando tiíta Lalita, la pobre, abría todas las puertas de la casa y desembocaba en el jardín gritando ¡atroz!, ¡atroz!, ¡atroz! y ¡alabado sea el Señor!, hasta que se desmayó para siempre mientras él se incorporaba y lo hacía entrar y se daba cuenta de que la casa tenía muchas más puertas que su casita chiquita y muy blanca y que de pronto todo se había llenado de gente vestida de negro y de unos adornos negros y tristes como la gente que iba y venía. Déjenlo así, déjenlo ahí, le ha dicho su padre a nani Charlotte, calma, calma, por favor, calma, dice también a cada rato y desaparece vestido de negro y él regresa corriendo a la casita porque su cuarto, tenía razón, era tan chiquito que José Pepito nunca volverá a existir pero en cambio sobra el cuarto tan grande para el reclinatorio y los santos de tiíta Lalita, la pobre. No sabía qué hacer, mamá, le dice a la fotografía alegre de la blusa amarilla, sobre la mesa de noche, «Gran Hotel», ya era muy tarde para empezar la casita de nuevo y además ese cuarto podía servir para los parientes de Buenos Aires que siempre nos visitan, o sea que me limité a seguir con mis inútiles brochazos de pintura blanca para que la casita fuera muy, muy blanca.

Y ahora duerme con su hermano Pepito y, a veces, como en las películas, planea el asesinato. Pero cuando ya no le importa tanto no ser el menor de todo el mundo, entonces, siempre, quiere *suicidar* y *se*, y maldice hasta la hora en que yo la abandoné. Pero ahora seguirá durmiendo para siempre con su hermano Pepito porque papá no quiso cambiar por nada de sorpresa y ya viven en esa casa tan grande y tan lejos de su casita y sobran cuartos y camas por todos lados porque nani Charlotte regresó a Francia y tiíta Lalita, la pobre, se fue con sus santos en su reclinatorio y Tere, su primer amor, le dio su primer beso a los trece años cuando él le contó el último arreglo al que había querido llegar con su padre: Papi, le dijo, para que no sobre su cama yo duermo en su cama y tú te pasas a mi cama y su papá no entendió nada y le sonrió muy triste y le explicó muy triste que ya todo era inútil porque siempre seguiría sobrando una cama y ya ven, ya ven, él le estaba hablando de su casita chiquita y muy blanca porque allá había una sola cama en cada cuarto porque la cama de nani Charlotte se la habían llevado al cuarto de la nueva nani que no tardaba en llegar y nada habría pasado, nada habría pasado, ya ven, ya ven, si me dejan terminar mi casita sin tanto desorden.

Barcelona, 1986

UNA TAJADA DE VIDA

A Marcia y Balo Sánchez León

Era el sol sucio de Lima o era en todo caso el sucio sol de esa polvorienta tarde limeña en plena feria del Cristo moreno con dejo andaluz y sabor a negro mandinga de hábito color morado y descendiente de nuestros esclavos; era esa tarde de semana de procesiones y domingo de toros en plena feria del Señor de los Milagros y la Plaza de Acho la había construido el virrey don Manuel Amat y Junyent, el de la Perricholi y el puente y la alameda, déjame que te cuente limeño, déjame que te diga del palacio de la virreyna de Barcelona, la llamaban la Pompadour peruana, limeña, carajo, Micaela Villegas, la Pompadour limeña y algún culto ahí sabía además que sobre esa despampanante criolla que lo tuvo en jaque al virrey viejo y enamorado o enchuchado mejor dicho, perra chola le quería decir el virrey pero era catalán y sólo le salía lo de Perricholi cuando ella le ponía cuernos y le entraba el ataque de rabia, no por nada fue Mariscal de Campo en España, gobernador de Chile y virrey estupendo del Perú, si sobre la Perricholi había escrito Offenbach una célebre opereta que aún se pone en escena en el teatro «Châtelet» de París y Luis Mariano...

...Y ahora todo eso en medio del polvo y las chozas chatas y el sol sucio en esa especie de autopista que los llevaba del dichoso y blanquiñoso San Isidro, ¡viva el lujo y quien lo trujo!, hacia la Lima de antaño, como quien se va en circunvalación al mundo del callejón de un solo caño y jaranas de media mampara, mediopelín y bajo pueblo, la ínfima, carajo, y el Presidente de la República, ¿presidente ese?, de qué, hermano, tócamelas por favor, el generalote es un chino cholo pata en el suelo y soldado raso que nos ha impuesto la reforma agraria y, peor todavía, whisky nacional, pero ahora tomamos de contrabando, ni cojudos, y estuvo bueno el pisco sauer del almuerzo criollo y picante y hoy se decide lo del Escapulario de oro, que si se lo lleva José Mari Manzanares, que si Paquirri...

...Y por enésima vez, medio borrachos ya, le habían reprochado la mariconada de una palabra que se le escapó en francés pero en realidad lo que le estaban reprochando en ese almuerzo de viejos compañeros de oligarquía colegio y universidad era que había apoyado la reforma agraria, huevón, ¿y las tierras de tu familia?, ¿y la hacienda de Huacho?, ¿acaso no te han jodido a ti también o es que en París te has vuelto masoco, hermano...?

...La palabra *hermano* dicha con el cariño de una anécdota escolar, *for old times sake*, salvaba siempre la situación pero por la especie de autopista esa con el sol sucio y porque se les hacía tarde y la feria había sido una de las peores en años porque el chino de mierda ese que dice que nos gobierna pero en realidad está jodiendo al país, por esa bestia el país ya no tiene ni dólares con que traer buenos toros de las Españas y a los toreros hay que pagarles con platería peruana, manyas hasta qué punto estamos hasta el perno, hermano, de pura vergüenza yo me largo de este país, hermano, y tú con que era indispensable una reforma agraria, y dices que por el bien del país, ¿han oído lo que ha dicho Javier, señores?, tómate otro trago, por favor, Javier, y haz como que te emborrachas, de a verdad, primito...

...Que se hace tarde, que se hace tarde, que sube y vamos, que mira cómo está esto todo hecho una mierda, mira qué asco, hermanón, sales de San Isidro y empieza el asco, hermanito, construyes una carretera y te la llenan de chozas y mira a los cholos de mierda estos que no saben ni cómo atravesar y se tiran a la pista y métele fierro a fondo, Lucho, que vamos con las justas y hay que estacionar todavía, pero para qué sueltas el acelerador, métele pata a fondo, mándale el carro al auquénido ese, atropéllalo, aplástalo, refórmamelo agrariamente, compadre, vas a ver cómo le sale mierda en vez de sangre, pásame la bota hermano, acelérale, hermano, la piel de un indio no cuesta caro, eso lo escribió un tal Ribeyro, vive en París como tú, Javier, ¡pum!, ¡te lo volaste, hermanón!, volteen, señores, nada, cobarde, lo rozaste apenas, auquénido de mierda, mira cómo se revuelca, fierro a fondo, mete la pata sin miedo que todavía hay que estacionar y nos perdemos el paseo, yo quiero ver toros y no llamas, huevón, *somos los niños más conocidos en esta bella y muy noble ciudad, nosotros somos los engreídos, por nuestra gracia y vivacidad,* pásame la bota hermano, angurriento que eres, carajo, ¿pero qué mierda te pasa, Javier?, Javier, no seas huevón por favor, déjate de cojudeces, por favor Javier, bueno, bájate, pues, mierda, allá tú... *De las jaranas, somos señores, y hacemos flores con el cajón, y si se ofrece tirar trompadas, puñete y patadas, también tenemos disposición,* bájate de una vez por todas, mierda...

...Y cuando se acercó al cholito apenas si le salía sangre por la nariz y pensó *felizmente* al verlo incorporarse y salir disparado por miedo a mí...

Casi nadie lo fue a despedir, como siempre, a veces una muchacha como un regalo de Lima la horrible, casi nadie lo había venido a recibir, como siempre, a veces uno de sus hermanos, y nadie lo espera en el aeropuerto de París. Taxi. En su departamento, olor de encierro y regreso, el vacío de un mundo abandonado ya para siempre y el desasosiego de un mundo nunca encontrado. Eso que llaman desarraigo, con el cansancio del viaje se volvió peor cuando contempló algunos objetos que Nadine había olvidado cuando se despidieron en... Ni siquiera se acordaba dónde se había despedido de Nadine, siete meses atrás, porque a cada rato se había despedido para largo o para siempre de Nadine por esos problemas que ella tenía como de múltiple personalidad y frigidez y miedo a la vida y un pasado que como que la condenaba siendo tan joven, bastante menor que él. Nadine con sus cartas incongruentes, sus silen-

cios y olvidos, le había destrozado esos siete meses en Lima y
él que había partido a Lima sólo para buscarle un trabajo de
profesora de tenis y buscarse un trabajo de lo que fuera, porque, en efecto, también él se había jodido con la reforma
agraria y ahora lo que tenía que hacer, no te queda más remedio, Javier, le dijo su hermano, es buscarte un trabajo de lo
que sea en París o en Lima, en fin, eso depende de dónde
quieras quedarte, los contactos te los doy yo todos, pero la tal
Nadine como que no cabe en nuestra familia, o sea que mejor
allá en París, Javier.

El teléfono sonó equivocado pero él reconoció lo torpe que
era Nadine hasta para equivocarse en el teléfono y ponerse a
tartamudear de emoción o de vergüenza. Nadine que lo quería
querer y debía estar llamando desde hace días, calculando su
llegada, arrepentida de no haber soportado, de haberse por-
tado pésimo con el hombre que se fue al Perú a buscarle un
trabajo de profesora de tenis para empezar una vida nueva,
una vida sin ese pasado que a veces lograban borrar regresando a una playa en Huelva para volver a nadar desnudos buscando la ternura, ya no el amor aunque se querían tanto, y
algo en común, algo que no siempre fuera el deseo de empezar
de nuevo a fojas cero con un enorme olvido perdonadizo, a lo
mejor lo que les faltaba para poder vivir juntos era una total
y eterna amnesia del día de ayer. Sonó el teléfono equivocado porque sólo tartamudeó de vergüenza y emoción. Pobre
Nadine.

Se sirvió un whisky largo para no contestar varias veces
y sentir pena porque ya van como diez veces que no contesto
y dormitó como siempre después de estos viajes, esperando
la noche para meterse un buen somnífero y empezar a enfren-
tarse con lo del *jet lag*. Contestó al tercer whisky bebido con
la paciencia del cansancio y la impaciencia de escuchar su voz.
¿Por qué le gustaba tanto la voz metálica de una mujer que ni
siquiera lograba vocalizar y cuando lo lograba era la tartamu-
dez del miedo y la vergüenza o la emoción, según el caso? Una
manifestación de la ternura, aunque a veces pensaba que era
más bien una manifestación de su piedad por una mujer bonita
que le tenía miedo a todo y que hubiese deseado, necesitado,

más bien, porque Nadine era cobarde y estaba en la calle, amar-
lo. Hablaron mal. Ella, por el miedo, la vergüenza y la emoción.
Él, al principio, porque le daba como flojera empezar de nuevo
sobre siete meses de ruinas y por el cansancio del viaje que
cada vez se notaba más. Al final, por la emoción tan grande.
Iría. Lo sabía desde que allá en Lima metió los regalos en la
maleta. Desde antes, desde que decidió meterlos. Desde antes,
desde que empezó a comprarlos. Desde antes, desde que decidió ir a comprarle regalos. Desde antes, desde siempre. Nadine
vendría a Le Mans, a la estación, el tren, ya lo había averigua-
do, salía a las diez de la mañana, sí, *gare* de Montparnasse,
unas tres horas. Ella lo esperaría en la estación y lo llevaría
sesenta kilómetros más allá hasta la granja de unos amigos.

Besos y abrazos, pobre Nadine, como que lo admiraba y
él sería sin duda el héroe en la granja porque había estado en
el Perú, sólo por eso, pobre gente, tendría que inventarle historias mejores que la oligarquía peruana sin tierras, mucho
Cuzco y Machu Picchu, más bien, la cocaína y qué más... La
selva y alucinógenos. Algún brujo como don Juanito el de Cas-
tañeda, *la petite fumée du diable*. Y soltar regalos por doquier
porque en la granja también había niños en estado natural o
en contacto directo con la Naturaleza y fuera del sistema o
como mierda fuera eso. Lo horrible, se dijo Javier, es saberlo
todo de antemano.

Por eso había llevado vino y whisky. Porque ahí se consu-
mía hasch pero no se bebía. Y ahora que ya había soltado
regalos pudo empezar a beber su vino y aceptar el hasch. Cualquier cosa. Además todavía estaba cansado del avión y una noche de esas de después del Atlántico más el viaje en tren hasta
Le Mans y los sesenta kilómetros nevados en un carro que se
caía a pedazos. Hacia las seis de la tarde, ya con las velas en-
cendidas, empezó a contar cosas. Felizmente que a las siete lo
interrumpió un tipo con cara de camello, delgado, alto, moreno con algo de árabe, nariz aguileña, marcas de viruela, muy
sucio, más sucio todavía cuando se quitó un impermeable largo verde oliva. Nadine empezó a estar menos cariñosa con
Javier cuando el tipo fue a mear y Jakie, el único simpático

ahí, un hombrón de pelo largo, dijo que venía perseguido. Drogas. De la India. También joyas.

O sea que todo empezó cuando Nadine le enseñó, se llamaba Ives, el collar con la enorme piedra verde que le habían traído del Perú. Ives le preguntó a Javier si tenía contactos en Brasil y Javier le respondió que sólo tres haciendas en el Mato Grosso. Celos. Otra vez, carajo. ¿O piedad? Otra vez, carajo, en todo caso. ¿Se luchaba o no se luchaba? Si se luchaba, entonces era piedad.

Luchó un rato y para ello empleó unas cassettes que había traído de Lima para hablarle a Nadine de las cosas vividas allá, ¿del auquénido y la corrida de toros a la que nunca llegó?, ¿del precioso departamento en que se había instalado su madre al enviudar?, ¿de lo duro que era llevarle flores a la tumba de su padre y llegar a Lima sin padre por primera vez porque no había podido, no, no había querido, llegar a su muerte? Lo mejor era traducirle las letras de las cassettes y acariciar el cuerpo desnudo de Nadine que, de rato en rato, todavía se acordaba de acariciarlo y hacía unos esfuerzos que él sabía feroces por quedarse con él, quedarse con él esta vez, quedarse con él una vez porque a lo mejor si lo lograba una sola vez... No irse. No írsele la cabeza.

De pronto Nadine le contó que había visto una película y que le había gustado mucho y que lo había extrañado muchísimo durante toda la película y que había sido algo muy fuerte. Y que después, resulta, a sus amigos no les había gustado la película, porque sí, y que entonces ella se había quedado sin opinión propia. Sufro mucho, Javier, le dijo, con este problema. No tengo personalidad o qué. Es terrible no tener una opinión propia. Ése es mi problema, Javier, que quisiera tener una opinión propia como tú. Él dejó de acariciarla cuando terminó una cassette y le dio flojera o es que no valía la pena poner el otro lado del Perú siete meses. Intentó acariciarla una vez más, lo intentó realmente, piedad, pero empezó a reinar una terrible mediocridad. Y apagó la vela para que ella pudiera irse a enseñarle su cuerpo desnudo al otro. Para que pudiera irse más fácil porque no tenía opinión.

A la hora concertada, iba pensando Javier en el tren de

regreso, aunque lo único concertado ahí fue que iría a ver a
Nadine a la granja del contacto con la Naturaleza, a la hora
concertada el baño de la granja quedaba al lado del dormitorio sobre cuya cama, a la hora concertada, Nadine yacía des-
nuda y tiesa mientras él esperaba la hora concertada. No tardaba en llegar el momento porque Ives con su pelo de cerdas
negras doblemente rizadas por la suciedad, se estaba preparan-
do un baño. Se escuchaba el chorro de agua que, como un reloj
de arena, iba llenando el vacío de la tina y el vacío terrible que
iba sintiendo Javier al ver perdido al pobre héroe peruano de
las batallas de Machu Picchu, el Cuzco, cocaína y un precioso
collar de plata con la enorme piedra verde. Batallas, todas, finalmente perdidas ante la inmensa superioridad de la hora
concertada. El cuerpo desnudo de Nadine se puso de pie sobre la cama, evitó pisarlo, abrió la puerta del baño, entró un
poco de luz, y volvió la oscuridad al dormitorio cuando cerró
la puerta detrás de ella. No era el momento de pensar que siete meses en Lima buscándole un trabajo que les permitiera
empezar una nueva vida desembocaría en algo sabido de antemano. Javier sólo pensó que la nueva vida habría sido sólo
para Nadine, porque la suya hacía rato que era vieja, la misma
vieja vida de siempre.

Conversaban ahí al lado, en el baño, pero a él no le intere-
saba saber de qué, y unos instantes después volvió a haber un
trozo de luz en el dormitorio cuando Nadine abrió la puerta en
el momento en que él se estaba tomando el somnífero de la
piedad. Ives le había dicho que le preguntara si la piedra del
collar era legítima o la había comprado en una tienda de ésas
para turistas.

—Dile —le respondió Javier—, dile que en el Perú sólo los
peruanos que saben y los turistas muy ricos compran artesa-
nía y cosas por el estilo en las tiendas oficiales de turismo.
Los de mochila al hombro, los desharrapados de siempre, en
fin, los que viajan en charters y se creen aventureros compran
las piedras falsas que venden los contrabandistas de lo autén-
tico. Y dile que es verdad, además.

Nadine cerró la puerta del dormitorio y en el baño repitió
lo más textualmente que pudo las instrucciones recibidas por-

que no tenía una opinión propia. Y poco rato después Javier
se quedó profundamente dormido, piedad, y probablemente lo
último que le pasó por la mente fue que en algún libro había
leído que la piedad es una de las pasiones más terribles en las
que puede caer un ser humano. Oyó ruidos de desayuno al despertarse y le dio asco bañarse en el mismo sitio en que se había bañado Ives. Nadine parecía haber pasado otra vez por la
cama, había señales de un regreso desnudo y furtivo en la noche y probablemente ahí se había despertado y su voz se escuchaba ahora entre los del desayuno. Javier se levantó, pre-
paró sus cosas para regresar a París, y mientras cerraba el
maletín de los regalos vio más nieve que nunca por la ventana.
Eso dificultó enormemente el recorrido desde la granja hasta
la estación de Le Mans en el automóvil destartalado y horroroso en que no quiso ser malo porque Nadine no tenía una
opinión propia y no le preguntó por qué, cuando después del
desayuno y la hora concertada para la partida fue al dormitorio a recoger sus cosas, había aparecido la enorme piedra
verde del collar partida en dos, cómo y por qué. Después fue
el lío de que no habían previsto tanta nieve, la llegada con las
justas a la estación, él subiéndose a un tren atiborrado de
gente mientras Nadine le compraba el billete de primera clase
y corría después para alcanzárselo con el tren ya en marcha.
Nadine le había dicho que sólo en primera clase viajaría más
o menos cómodo y había mostrado un gran sentido práctico
en organizar la apresurada partida y fue la hermosa muchacha
que corrió hasta donde pudo para seguirle haciendo adiós con
todos sus besos volados porque quería quererlo tanto.

Javier llegó varias veces, bueno, tres, por lo menos, unas
tres veces llegó destrozado y cansado y abatido a la estación
de Montparnasse, París. Quería sonreír probándose que había
vivido la teoría de la relatividad en carne propia, más una derrota de siete meses en Lima con un honorable tratado de paz
firmado en una granja para derrotados por ahí por Le Mans,
y hasta se dijo que todos los generales son inteligentes cuando termina una batalla, ya que todos los tontos han muerto al
final. Se dijo además, como una especie de premio de consuelo,
que siempre se era el auquénido de alguien pero el incidente

en el tren seguía siendo detestable.

Él estaba de pie y pensando en todo el asunto de la hora concertada, cuando alguien advirtió que acababa de entrar al vagón de primera clase el controlador de billetes. Una mujer se puso de pie porque su billete era de segunda y la persona que había advertido preguntó que quién ahí tenía un billete de primera. Había tanta gente de pie y de segunda clase que Javier ni siquiera ató cabos. Pero se seguía insistiendo en el asunto hasta que por fin él se sintió concernido y recordó lo de su billete de primera y que en primera se viajaba siempre con asiento reservado y dedujo que el asiento abandonado por la mujer era suyo. Le dijo no se preocupe, señora, a mí me da lo mismo, pero el controlador escuchó todo y dijo que los de primera sentados y en primera y por favor, damas y caballeros, aunque más bien dijo cabadamas por esa economía que se permiten ciertos idiomas, sí, cabadamas, los de segunda a segunda y usted también, señora, vamos, rápido que no tengo tiempo que perder. Controló el billete de Javier y le dijo que ése era su asiento y que lo utilizara porque había pagado por él. Javier ni siquiera agradeció porque ya lo estaba mirando de esa manera toda la gente que había volteado a ver el incidente que él atribuyó a su distracción con respecto a las reservas de primera y al haber estado pensando en la hora concertada.

Pero un hombre se puso de pie, como si fuera otra vez la hora concertada, y le ofreció su asiento a la señora que había usurpado el de la distracción de Javier. Tres hombres más hicieron lo mismo pero el controlador insistió en que los de segunda a segunda, por favor, señora, y volvió a insistir y controlador y señora avanzaron hacia el siguiente vagón y ahí arrancó esa especie de monólogo en coro de los cuatro caballeros que le habían ofrecido su asiento con rabia a la mujer, más los comentarios rápidos, breves y ágiles de los que no le habían cedido su asiento a nadie, y por último lo que Javier llamaría momentos después el silencio de la mayoría silenciosa. Se trataba, a gritos mezclados con breves y ágiles comentarios aseverativos, cosas casi de apuntador, de que hubo una época de trenes con vagones de tercera para la gente de tercera categoría pero que ahora ya no estamos en casa, en Francia, porque de cuándo acá los extranjeros también en primera clase, no, ya no estamos en casa en Francia, cabadamas, ya no estamos en casa en Francia. En fin, fundamentalmente se trataba de eso y de la mayoría silenciosa y del auquénido al que sólo cuatro días atrás Lucho le había metido el carro y él no pudo más y se bajó y el auquénido salió disparado por miedo a mí con sangre en la nariz. Instintivamente, Javier se llevó la mano a la nariz como en un recuerdo y en un susto.

Y ahora avanzaba por el andén de la estación de Montparnasse y los caballeros opinantes y los apuntadores que tampoco estaban ya en casa, en Francia, pasaban a su lado uno tras otro con esas miradas. Javier pensó: Ustedes son los niños más conocidos, en esta bella y muy noble ciudad, ustedes son los engreídos, por vuestra gracia y vivacidad. Pero sintió que París no se merecía eso y que era la maravillosa ciudad en la que Sylvie y él se habían amado tan jóvenes, tan lindamente, tan privilegiadamente, con risas, lágrimas y palabras de amantes inmortales, sí, así fue, lo malo es que entonces Lima tampoco se merecía a los que fueron sus amigos queridos de oligarquía colegio y universidad y, aunque por ahí divisó un matiz en su asociación-conclusión, ya era muy tarde y en el Perú, en Lima, en el balneario viejo de Barranco, allá arriba del puente de Los Suspiros, en El Embrujo, su hermano había detenido la conversación para reírse con las cosas del presentador cuando anunciaba a la Limeñita y Ascoy, Rosita y Alejandro, que nos han honrado, señores, dejando su sarcófago de inmortales, para volver a estar con nosotros, como siempre, como desde hace siglos, porque Rosita y Alejandro, damas y caballeros, ya debían seis meses de alquiler cuando Dios dijo *fiat lux.*

Y mientras la Limeñita y Ascoy seguían despidiéndolo de Lima con *Luis Pardo*, el vals del famoso bandolero, *sepan de mis hazañas, que no son más que rencores*, mientras Luis Pardo le pedía a sus enemigos que lo mataran de frente, su hermano Manuel le iba diciendo que se buscara un trabajo cualquiera y mejor en París, Javier, perdona, pero para esa mujer no hay sitio en nuestra familia. Javier empezó a aplaudir y no pudo contenerse, pronto se iría de Lima y se puso de pie y atravesó el comedor para darle un beso a Rosita, para contarle que en París tenía todos sus discos y que siempre los escuchaba. Rosita aceptó su beso y le dijo con emoción y esa figura como mortal: Que Dios lo bendiga, caballero.

Barcelona, 1986

CÓMO Y POR QUÉ ODIÉ LOS LIBROS PARA NIÑOS

A Marita y Alfredo Ruiz Rosas; a Cinthia Capriata y Emilio Rodríguez Larraín.

Creo que pocos niños habrán odiado tanto como yo los libros. Eran, además, objeto de mi terror. Cuando se acercaba la Navidad o el día de mi cumpleaños, empezaba a vivir el terrible desasosiego que representaba imaginarme a algún amigo de mis padres llegando a visitarme con una sonrisa en los labios y un libro de Julio Verne, por ejemplo, en las manos. Era mi regalo y tenía que agradecérselo, cosa que siempre hice, por no arruinarle la fiesta a los demás, en lo cual había una gran injusticia, creo yo, porque la fiesta era para mí, para que la gente me dejara feliz con un regalito, y en cambio a mí me dejaban profundamente infeliz, y lo que es peor, con la obligación de deshacerme en agradecimientos para que el aguafiestas de turno pudiera despedirse tan satisfecho y sonriente como llegó.

El colmo fue cuando asesinaron al padre de uno de los amigos más queridos que tuve en mi colegio de monjas norteamericanas para niñitos peruanos con cuenta bancaria en el extranjero, por decirlo de alguna manera. La noticia me puso en un estado de sufrimiento tal, que sólo podría atribuírsele a un niño pobre, dentro de la escala de valores en la que iba siendo educado, por lo que se optó por ponerme en cuarentena hasta que terminara de sufrir de esa manera tan espantosa.

Me metieron a la cama y me mandaron a una de esas tías que siempre está al alcance de la mano cuando ocurre alguna desgracia, y a la pobre no se le ocurrió nada menos que traerme un libro que un tal D'Amicis, creo, escribió para que los niños lloraran de una vez por todas, también creo.

Regresé al colegio con el corazón hecho pedazos, por lo cual ahora me parece recordar que el libro se llamaba *Corazón*. Y cuando llegó la primera comunión y, con ella, la primera confesión que la precede, el primer pecado que le solté a un curita norteamericano preparado sólo para confesión de niños (a juzgar por el lío que se le hizo al pobre tener que juzgar divinamente y con penitencia, además, un pecado de niño tan complejo), fue que, por culpa de un libro, yo me había olvidado de un crimen y de mi huérfano amigo y, a pesar de los remordimientos y del combate interior con el demonio, había terminado llorando como loco por un personaje de esos que no existen, padre, porque los llaman de ficción.

—¿Cómo fue el combate con el demonio? —me preguntó el pobre curita, totalmente desbordado por mi confesión.

—Fue debajo de la sábana, padre, para que no me viera el demonio.

—¡Para que no te viera quién!

—El demonio, padre. Es una tía vieja que mi papá llama solterona y que según he oído decir siempre aparece cuando algo malo sucede o está a punto de suceder. Yo me escondí bajo la sábana para que ella no se diera cuenta de que había cambiado el llanto de mi amigo por el del libro.

El padrecito me dio la absolución lo más rápido que pudo, para que no me fuera a arrancar con otro pecado tan raro, y logré hacer una primera comunión bastante tembleque. Años después me enteré por mi madre que el curita la había convocado inmediatamente después de mi extraña confesión, y que le había dado una opinión bastante norteamericana y simplista de mi persona, sin duda alguna porque era de Texas y tenía un acento horripilante. Según mi madre, el curita le dijo que yo había nacido muy poco competitivo, que no había en mí ni el más mínimo asomo de líder nato, y que si no me educaban de una manera menos sensible podía llegar incluso a convertirme en lo que en la tierra de Washington, Jefferson y John Wayne, se llamaba un perdedor nato. Mis padres decidieron cambiarme inmediatamente a un colegio inglés, porque un guía espiritual con ese acento podría arruinar para toda la vida mi formación en inglés.

Con los años se logró que mejorara mi acento, pero mi problema con los libros no se resolvió hasta que llegué al penúltimo año de secundaria, en un internado británico. Un profesor, que siempre tenía razón, porque era el más loco de todos, en el disparatado y anacrónico refrito inglés que era aquel colegio, nos puso en fila a todos, un día, y nos empezó a decir qué carrera debíamos seguir y cuál era la vocación de cada uno y, también, quiénes eran los que ahí no tenían vocación alguna y quiénes, a pesar de tener vocación, debían abandonar toda tentativa de ingreso a una Universidad, porque a la entrada de la Universidad de Salamanca, en España, hay un letrero que dice: «*Lo que natura no da, Salamanca no lo presta.*» Un buen porcentaje de alumnos entró en esta categoría, por llamarla de alguna manera, pero, sin duda, el que se llevó la mayor sorpresa fui yo, cuando me dijo que iba a ser escritor o que, mejor dicho, ya lo era. Le pedí una cita especial, porque seguía considerando que mi odio por los libros era algo muy especial, y entonces, por fin, a fuerza de analizar y analizar mil recuerdos, logramos dar con la clave del problema.

Según él, lo que me había ocurrido era que, desde niño, a punta de regalarme libros para niños, me habían interrumpido constantemente mi propia creación literaria de la vida. En efecto, recordé, y así se lo dije, que de niño yo me pasaba horas y horas tumbado en una cama, como quien se va a quedar así para siempre, y construyendo mis propias historias, muy tristes a veces, muy alegres otras, pues en ellas participaban mis amigos más queridos (y también mis enemigos acérrimos, por eso de la maldad infantil), y que yo con eso era capaz de llorar y reír solito, de llorar a mares y reírme a carcajadas, cosa que preocupaba terriblemente a mis padres. «Ahí está otra vez el chico ese haciendo unos ruidos rarísimos sobre la cama», era una frase que a menudo les oí decir. El profesor me dijo que eso era, precisamente, literatura, pura literatura, que no es lo mismo que literatura pura, y que mi odio a los libros se debía a que, de pronto, un objeto real, un libro de cuya realidad yo no necesitaba para nada en ese momento, había venido a interrumpir mi realidad literaria. En ese mismo instante, recuerdo, se me aclaró aquel problema que, aterrado, había creído ser un grave pecado cometido justo antes de mi primera comunión. Aquel pecado que tanto espantó al curita norteamericano y sobre el cual dio una explicación que, según mi madre, tomando su té a las cinco y leyendo a Oscar Wilde, sólo podía compararse con su acento tejano.

Claro, aquel libro lo había tenido que escuchar (los otros, generalmente, los arrojaba a la basura). Y ahora que lo recuerdo y lo entiendo todo, lo había tenido que escuchar mientras yo estaba recreando, en forma personalizada, o sea necesaria, el asesinato del padre de mi excelente amigo de infancia norteamericana. Me encontraba, seguro, muy al comienzo de una historia que iba a imaginar en el lejano Oeste y muy triste, particularmente dura y triste, puesto que se trataba de ese amigo y ese colegio. Y cuando la lectura de mi tía, cogiéndome desprevenido y desarmado, por lo poco elaborada que estaba aún mi narración, impuso la tristeza del libro sobre la mía, yo viví aquello como una cruel traición a un amigo. Y ése fue el pecado que le llevé al curita tejano.

Desde entonces, desde que dejé de leer libros que otros me daban, empecé a gozar y Dios sabe cuánto me ayuda hoy la literatura de los demás en la elaboración de mis propias ficciones. Cuando escribo, en efecto, es cuando más leo... Pero, eso sí, algo quedó de aquel trauma infantil y es ese pánico por los libros que, autores absolutamente desconocidos, me han hecho llegar por correo o me han entregado sin que en mí hubiese brotado ese sentimiento de apertura, curiosidad, y simpatía total que me guía cuando leo el libro de un escritor que acabo de conocer y con el cual he simpatizado.

Cuando me mandan un manuscrito o un libro a quemarropa siento, en cambio, la terrible tentación de reaccionar como el duque de Albufera, cuando Proust le envió un libro y luego lo llamó para ver si lo había recibido. El propio Proust narra con desenfado su conversación con su amigo Luigi:

—Mi querido Luigi, ¿has recibido mi último libro?

—¿Libro, Marcel? ¿Tú has escrito un libro?

—Claro, Luigi; y además te lo he enviado.

—¡Ah!, mi querido Marcel, si me lo has enviado, de más está decirte que sí lo he leído. Lo malo es que no estoy muy seguro de haberlo recibido.

Fornells, Menorca 1985

MAGDALENA PERUANA

ble, es una de esas personas que no tienen edad. ¿No te has fijado? Como que no tiene edad... Hay gente así, Eduardo... Como sin edad... Gente que realmente no tiene edad por más que uno se la busque. Pero, ¿por qué...?

—¡País de mierda!

—¡Eduardo, por favor, cómo puedes hablar así del Perú! ¡Del suelo que te ha visto nacer!

—¡Me voy! ¡Paquita, Carmela, Elenita, suban inmediatamente al barco! ¡A Francia! ¡A París! ¡Para siempre! ¡Maldita sea mi suerte!

Muy a menudo, durante los veinte años que vivieron en París, doña Paquita Taboada y Lemos de Rosell de Albornoz y sus hijas Carmela y Elenita, le escucharon decir a don Eduardo:

—Pensar que la culpa de todo la tiene nuestro mejor amigo.

—Eduardo —le decía su esposa—, no hables así de don Rafael de Goyoneche.

—¡De Goyeneche! ¡Cómo te atreves a deformar el buen nombre de nuestro mejor amigo!

Y, muy a menudo también, durante los quince años que Carmela y Elenita de Rosell y Albornoz vivieron en Madrid, porque las rentas peruanas de su padre no daban ya para una vida en París, le escucharon decir a don Eduardo, viudo ya y viejo y por momentos realmente desconsolado:

—Pensar que la culpa de todo la tiene nuestro mejor amigo.

—Pero papá —le decían, casi turnándose, Carmela y Elenita, solteronas bellas y finísimas, y profesoras de francés, la primera, y de piano, la segunda—: Pero, papá, si don Rafael de Goyoneche...

—¡De Goyeneche! ¡Cómo se atreven a deformar el buen nombre de nuestro mejor amigo!

Y un día, por fin, don Eduardo siguió hablando. Don Rafael de Goyeneche, y no de Goyoneche, les contó, fue siempre un hombre muy raro. Reconozco que a él le debemos el haber podido vivir todos estos años en París y en Madrid. Reconozco que nadie en Lima habría sido capaz de administrar nuestras menguantes rentas con tanto desprendimiento. Y reconozco que no me ha aceptado ni siquiera un regalo. Pero eso no quita que don Rafael de Goyeneche haya sido siempre un hombre rarísimo. Me presentó a los hermanos Barreda, por ejemplo, y al jorobado Caso...

—Pero, papá —dijo Carmela—, los señores Barreda han sido casi tan buenos amigos tuyos como don Rafael.

—Y tú mismo reconoces que nadie te ha escrito tantas y tan hermosas cartas como el jorobado Caso —añadió Elenita.

—Eso no tiene nada que ver en el asunto. Yo a los Barreda no los conocía y no sé para qué tuvo que presentármelos don Rafael. Le dije que no lo hiciera. Estábamos en la laguna de Huacachina, sentados en una banca y conversando tranquilamente, cuando vi venir a los Barreda y le pedí que no me los presentara. Recuerdo bien que hasta grité: ¡No me los vayas a presentar! ¡No me los vayas a presentar, por favor, Rafael! Pero a él le daba de lo fuerte por ponerse de pie y saludar a la gente y, lo que es peor, siempre terminaba presentándosela a uno. Ya les digo, don Rafael de Goyeneche, y no de Goyoneche, fue una de las personas más raras de toda la familia Goyeneche.

—Pero, papá —intervino Carmela—: ¿acaso no ha sido una gran satisfacción en tu vida haber tenido amigos como los señores Barreda?

—¡Y eso qué tiene que ver! ¡Tampoco quise que me presentara al jorobado Caso y me lo presentó!

—Pero, papá —intervino Elenita—: el señor Caso...

—¡Qué tiene que ver eso con que don Rafael de Goyeneche me lo presentara! ¡Don Rafael de Goyeneche me presentó a los Barreda y al jorobado Caso porque era el hombre más raro del mundo y basta! ¡Que no se hable más del asunto, por favor!

Pasaron treinta y cinco años antes de que don Eduardo regresara muy venido a menos al Perú. Había convertido su gran casona de Barranco en una especie de quinta, reservándose el jardín del fondo y habilitando con el exquisito gusto de sus hijas el sector que antaño había pertenecido a la servidumbre. El resto lo alquila todo, Carmela da clases de francés y Elenita de piano. La verdad, Carmela y Elenita son también bastante raritas, pero yo las quiero muchísimo porque soy un *Goyeneche*, no un *Goyoneche*, por Dios santo, y porque ellas son purito Rosell de Albornoz y siempre se ponen rojas como un tomate cuando llego y soy de sexo masculino y como que les da un ataque de nervios cada vez que les entrego el sobre con el dinero porque soy nieto de don Rafael y me dan clases de piano y francés y me cobran aunque sea nieto de don Rafael porque de otra manera don Rafael no permitiría que me dieran clases de nada por nada de este mundo y resulta terrible decirlo pero lo cierto es que hasta hoy no sé de cuál de las dos estoy más profundamente enamorado, por no serle infiel a la otra, y porque las dos son de sexo femenino y juntas me llevan como sesenta años de solteronas y fin de raza, aunque a veces todos pegamos un saltito como unísono porque todos ahí dejamos de ser todo y porque ninguna de las dos sabe cuál de las dos está más profundamente enamorada de mí, por no serle infiel a la otra, y porque no está nada mal tampoco que entre los tres seamos el colmo, pero lo que se dice el *colmo*, de la delicadeza.

Lo que sí, últimamente he notado que don Eduardo como que quisiera hablarme a pesar de ser tan raro. Pobre don Eduardo. Cultiva su jardín viejo y tristón y con cuánto amor cuida las rosas de su pequeño mundo antiguo. Se nota, a la legua se nota que fue un mundo muy grande y el único que había a principios de siglo y es lógico, perfectamente lógico, que el pelo se le haya puesto así de blanco y de largo y que se descuide el bigote y ande con una barba de tres días cuando Carmela y Elenita lo logran pescar para afeitarlo. Ahora, que entre eso y echarle la culpa de todo a mi abuelo, francamente, no sé. Y lo más triste es que ni siquiera se hablan. Murieron los hermanos Barreda, el jorobado Caso, todos los amigos de juventud y principios de siglo, sólo quedan ellos dos, y es una verdadera lástima saber que de un día a otro se van a morir conversando cada uno con el aroma de sus rosas.

Porque mi abuelo también cultiva su jardín aunque todavía hace gimnasia sueca, para estar menos impresentable que don Eduardo, lo cual, según mi pobre abuela, nada tiene de bueno porque la otra mañana, figúrate tú, tu abuelito se olvidó de hacer sus ejercicios y se tomó íntegro el desayuno y después se olvidó de que acababa de tomar un desayuno y casi le da un colapso por hacer su gimnasia sueca. Pobre Rafael. Debió sentirse a la muerte porque hasta empezó a decir sus últimas palabras. Soñando las empieza a decir a cada rato, pero hasta ahora nunca las había empezado porque se iba a morir.

—Mujer —me dijo el pobrecito—, qué culpa tengo yo de que Felipe Alzamora...

Pero, igualito que cuando sueña, no pudo acabar del colerón que le entró en medio de todo al pobrecito. Imagínate lo desgraciado que hubiera sido. Morirse sin poder ni siquiera terminar de decir sus últimas palabras. No, no hay derecho para que don Eduardo Rosell de Albornoz sea un hombre tan raro. Ya casi resulta perverso de lo raro que es. Dios no quiera que se nos vaya al infierno de puro raro, pero la verdad es que hay que ser un hombre rarísimo para echarle la culpa de todo a tu abuelito. Y con lo mucho que lo quiere siempre el pobrecito, a pesar de lo de Madrid. Sí, es verdad que en cada viaje que hicimos a París, primero, y a Madrid, después, para ver a don Eduardo y su familia, él le preguntaba qué edad tenía Felipe Alzamora y tu abuelito le respondía siempre lo mismo.

—La verdad, Eduardo, es que Felipe Alzamora es un hombre muy honorable pero...

Y también es verdad que don Eduardo se impacienta mucho.

—*Por favor*, Rafael, qué *edad* le calculas tú a Felipe Alzamora.

Pero es innegable asimismo que tu abuelito le respondió siempre lo mejor que pudo.

—Pues a eso iba, Eduardo; lo que quería decirte es precisamente que Felipe Alzamora, con ser un hombre muy honorable, es una de esas personas que no tienen edad. ¿No recuerdas? Como que no tenía edad cuando tú te viniste a Europa y la verdad es que sigue igual. Hay gente así, Eduardo... Como sin edad... Gente que realmente no tiene edad, por más que uno se la busque. Pero, ¿por qué...?

—¡Vida de mierda!

—¡Eduardo, por favor, cómo puedes hablar así! Estoy haciendo milagros para que tus ya menguantes rentas...

E incluso durante el viaje de 1950, en que tuvimos que pasar dos veces por Madrid porque *El Comercio* se equivocó y publicó en sus notas sociales que don Rafael de Goyeneche (felizmente que lo escribieron bien porque si no a tu abuelito le arruinan el viaje) y su señora esposa, doña Herminia Taboada y Lemos de Goyeneche, habían partido con rumbo a Madrid, París, Roma y Londres, cuando en realidad esa vez nosotros pensábamos volver directamente de Roma a Lima y ni se nos había ocurrido ir a Londres, pero tuvimos que ir porque *El Comercio* lo decía y después la gente, ya tú sabes. Lo cierto es que eso nos obligó a pasar de nuevo por Madrid, donde acababan de inaugurar un restaurant peruano, y a don Eduardo se le antojó invitarnos y la comida, sería la falta de costumbre o qué sé yo, le cayó pesadísima...

Ésta es la parte en que mi abuelita exclama: ¡Y el pedo, y el pedo de don Eduardo!, y aparece siempre mi abuelo y le da de alaridos porque está terminantemente prohibido mencionar el nombre de ese señor en su casa mientras él viva y ella lo sobreviva, o sea, que no hay manera de averiguar qué tuvo que ver esa ventosidad con la amistad de toda una vida, ni hay manera tampoco de enterarse cuáles son las últimas palabras completas de mi abuelo porque el colerón lo interrumpe cuando las sueña y lo mismo le pasó medio muerto cuando lo de la gimnasia sueca y el desayuno y no, no queda más remedio que esperar a que a alguno de los viejos le dé un colapso completo y entren en una larga agonía con la suficiente dosis de inconsciencia como para que se les rompa la barrera del orgullo y de lo raro y de una vez por todas cuenten lo que pasó.

Pero como he seguido notando que don Eduardo como que quisiera hablarme, he cambiado el horario de mis clases y ya no vengo un día sí y un día no para mis horas de piano y francés. No, ahora vengo a diario y los días pares tengo además doble francés y los impares doble piano porque así hay cuádruples probabilidades de estar presente cuando pase lo que pase, pase lo que pase, o mejor dicho cuando pase lo que Dios quiera, porque cada día está peor el pobre don Eduardo y, para empezar, ya el jueves perdió por lo menos el reconocimiento porque en vez de cortar una rosa cortó un rosal y cómo lloró el viejito y en medio de todo y del jardín, en mi vida me he sentido tan profundamente enamorado o de Carmela o de Elenita.

—¡Dios mío! —exclamé—: ¡Cuándo nos moriremos aquí todos para que cesemos por fin de no entender!

Nadie me entendió, por supuesto, aunque de pronto, mientras tratábamos de calmarle la llantina del rosal a don Eduardo y yo dudaba entre Carmela y Elenita, por no serle infiel a la otra, noté que al viejito se le encendía una lucecita en el fondo del alma, porque clarito se le veía en el fondo de ojo de ambos ojos que son el espejo del alma, como todos sabemos, porque aunque eran las once de la mañana y brillaba un sol de verano increíble, don Eduardo como que necesitaba más luz y pidió que le encendieran todos los focos del jardín y sus hijas se aterraron a punta de no entender nada, pero como Carmela y Elenita están profundamente enamoradas de mí, las dos lo encendieron todo no bien les dije enciendan todo aunque no entiendan nada y por fin se hizo la luz y los tres entramos en ese largo y merecido trance que da el haber alcanzado el súmum de la delicadeza por no ser infiel a la otra multidireccionalmente.

Y en ésas andábamos cuando nos dimos cuenta de que también don Eduardo, por su cuenta y riesgo, había entrado en trance, en un trance muy personal, paralelo al nuestro, y que se había dejado más derramar que caer sobre el césped, se había puesto boca abajo, y con las manos se traía del culo a la nariz un olor que parecía estarlo colmando de satisfacciones y al que, muerto de una risita como muy íntima, muy suya, muy para él solito, y muy como ji-ji-jí-qué-rico, calificó, según nos pareció escuchar, aunque aquello fue más bien oler, de magdalena peruana, palabras éstas que nada querían decir en medio de semejante olor, salvo que don Eduardo anduviese ya totalmente inconsciente, lo cual resultaba bastante incompatible con la manera en que se nos estaba desternillando ahí de risa con la felicidad que le producían sus pedos, y luego, para obtener un rendimiento máximo en el regodeo y, a pesar de que Carmela y Elenita ya no sabían hacia dónde oler de vergüenza, don Eduardo se nos contorsionó cual gimnasta de país comunista, logrando colocar la nariz en el culo con tal precisión de ojete que yo en otras circunstancias realmente habría aplaudido.

Pero más importante en ese momento era tratar de enterarse de lo que iba diciendo, pues aunque todo era rarísimo, se trataba sin duda de sus últimas palabras y de su muerte, debido precisamente a lo raro que había sido en vida, y con toda seguridad no tardaba en enviarle un postrer mensaje de afecto a mi abuelo o de explicar por qué diablos dejaron de hablarse para siempre, a raíz de aquel famoso pedo madrileño. Carmela y Elenita no habían asistido a la comida aquella del restaurant peruano, o sea que me acompañaron en la difícil empresa de abandonar nuestra delicadeza súmum para intentar penetrar en el secreto profundo de aquel olor. Inútil: don Eduardo se regodeaba con un hilito de voz que se ahogaba en su incesante pedorreo y ninguno de los tres logró pegar la oreja por culpa de la nariz.

O sea que sólo Dios lograba escucharlo y sólo Él sabe que a don Eduardo le había caído muy pesada la comida de aquel restaurant peruano de Madrid, en el que pidió anticuchos, ceviche, y ají de gallina, y de postre picarones y suspiros a la limeña. Demasiado para un hombre de su edad, pero era la silenciosa y orgullosa nostalgia de la patria lejana y querida, que luego, al materializarse en una ventosidad cuyo olor a juventud y principios de siglo en Lima era lógico resultado de los ingredientes peruanos de la comida, muy en especial del ají y las otras especias, se convirtió en la flor de la canela y aroma de mixtura que en el pelo llevaba y lo transportaron del puente a la Alameda y en esta última se cruzó nada menos que con Felipe Alzamora, quien, según acababa de contarle mi abuelo, a su regreso de un viaje a Londres que hizo debido a un error de las notas sociales del diario *El Comercio* de Lima, aunque lo importante es que escribieron bien Goyeneche, Eduardo, acababa de fallecer justo cuando don Eduardo descubría que se había equivocado por completo con don Felipe Alzamora porque de golpe, como esos monstruos de maldad que esconden riquezas mil de ternura por un gatito, don Felipe Alzamora pudo y debió haber sido su mejor amigo y él probablemente hubiese descubierto esa maravillosa verdad si es que el cretino de Rafael de Goyeneche no le hubiera dicho siempre que don Felipe Alzamora, su entrañable y difunto amigo, era un hombre sin edad, motivo por el cual él había exclamado ¡País de mierda!, al abandonar el Perú, y ¡Vida de mierda!, cada vez que el perverso Rafael de Goyeneche, sin duda alguna su peor enemigo, sí, sí, todo en ese pedo se lo decía: el enemigo malo, el diablo en patinete, Rafael de Goyeneche le había hecho creer que don Felipe Alzamora, su llorado y aromático amigo, era un hombre sin edad, por lo cual él, equivocado hasta ese momento, había postergado treinta y cinco años de su regreso al Perú y se había ido arruinando en una Europa demasiado cara ya para sus viejas rentas, y todo, sí, todo por temor a cruzarse en la calle con Felipe Alzamora, su maravilloso, su difunto, su ventoso, su mejor amigo, aroma de mixtura y afecto que el viento trae y se lleva para siempre, al mismo tiempo, su entrañable compañero de esta noche de pedo peruano y trágico despertar.

Y sólo Dios sabe que don Eduardo Rosell de Albornoz le envió la más insultante e hiriente carta al señor Rafael de GoYOneche. Y que ni siquiera le dio una explicación cabal del olor y la significación del olor de tan sorprendente descubrimiento, el que le abriría, el que ahora le abría las puertas del amargo retorno al dulce país sin más principios de siglos ni, ya para siempre, don Felipe Alzamora tampoco. Culpable: el cretino de Rafael GoYOneche y su mentira canalla. Don Felipe Alzamora sí tenía edad y ha muerto tan viejo como me estoy muriendo yo.

Y sólo Dios sabe que, habiendo leído atentamente a Marcel Proust, el delicado escritor francés perfecto y olfativo que introdujo una magdalena en su infusión calentita, la sacó, la

olió, y recuperó íntegro lo que el viento se llevó y demás tro-
zos de olvidos imperdonables en la maravilla empapadita y aro-
mática de su bizcochito íntimo, don Eduardo comía anticuchos
y ceviche y ají de gallina y de postre picarones y suspiros a la
limeña, cada jueves, a pesar de su edad, a pesar de sus hijas,
y a pesar de todo, con la esperanza de un nuevo pedo, en busca del tiempo perdido o del viento perdido, más bien, en su
caso, con el más tierno deseo de un tiempo recobrado como
único medio de volver a encontrarse con su viejo amigo don
Felipe Alzamora en el ventarrón aquel de aroma denso e intenso que ni las rosas de su jardín podrían darle jamás. Hasta
que lo encontró y, en agradecimiento a Proust por la genial
idea que le había dado, le llamó magdalena peruana a ese último pedorreo, ya que por su edad, por el atracón que se había
pegado, y porque se estaba muriendo, Dios le pagó con creces
y hasta con heces.

Carmela y Elenita habían salido disparadas a llamar un
médico y yo llevaba varios minutos ahí, mirando los espasmos
de don Eduardo. Se nos estaba muriendo, sin duda alguna,
pero la verdad es que se le veía tan contento que a mi juicio
realmente valía la pena dejarlo morir. Desde luego, nos había
ocultado sus últimas palabras soltando un verdadero e interminable rosario de pedos y, de pronto, ahora, una verdadera
e interminable andanada más, porque raro como era tuvo que
ocultarnos sus últimas palabras como un calamar que se es-
conde soltando su negra tinta. Y todo esto entre ji ji jís, hasta
que por fin se puso boca arriba y siguió soltando sus últimas
palabras que ya ni sonido tenían pero que eran muchísimas a
juzgar por lo rápido que movía los labios, parecía estarse viviendo una vida entera, don Eduardo, con una expresión ra-
diante que nunca le había visto, y así hasta que con una nueva
y rotunda ventosidad inhaló muy hondo, se estiró del todo y
también como quien se estira de una vez por todas.

O sea que ya estaba muerto de felicidad cuando llegó el
médico y para consolar a Carmela y Elenita les dijo que bastaba con mirar la cara de su papacito para saber que había
fallecido sin el menor sufrimiento. Estuve a punto de agregar
que hasta había fallecido en olor a ventosidad, pero en ese

instante Carmela y Elenita me preguntaron al mismo tiempo si por fin había logrado entender algo de lo que su papacito dijo mientras fueron a llamar al doctor, y yo también les contesté a las dos al mismo tiempo, para no serle infiel a la otra, que se había llevado una enorme cantidad de últimas palabras a la tumba, desgraciadamente, porque ahora cómo íbamos a hacer con mi abuelo que tanto había hecho por su amigo don Eduardo, a cuyo entierro finalmente no asistiría, pero no porque le siguiera guardando rencor más allá de la muerte sino porque él también tuvo que asistir a su entierro el mismo día, y como dijo mi abuelita: Tenía que suceder; era la tercera vez que se tomaba la gimnasia sueca después del desayuno y el pobrecito ni siquiera llegó a decir sus últimas palabras completas porque le dio un ataque de cólera fulminante en medio de todo.

Yo no procedí de otra manera, cuando mi abuelita, cumpliendo con la voluntad de mi abuelo más allá de la muerte, se negó a pronunciar el nombre de don Eduardo Rosell de Albornoz tal cantidad de veces cuando traté de seguir averiguando sobre el misterioso pedo en Madrid, que por fin un día, porque para algo soy un Goyeneche, no un Goyoneche, por Dios santo, me dio el ataque de rabia que la estranguló. Y desde entonces vivo en esta cárcel y Carmela y Elenita vienen a verme siempre, por lo cual jamás sabré de cuál de las dos estoy más profundamente enamorado ni ellas tampoco sabrán jamás cuál de las dos lo está de mí, por no serle nunca pero nunca jamás infiel a la otra multidireccionalmente y para alcanzar estados súmum los días de visita en que Carmelo logra darme las clases de francés pero en cambio a Elenita no la han dejado traerme su piano, lo cual no impide que yo les siga dando el mismo sobre a las dos y que todos demos un saltito como unísono y que al mismo tiempo siga exigiendo que me permitan tener un piano en mi celda aunque lo único que saco es que me digan en qué siglo cree usted que vive, Goyoneche, pero yo jamás me cansaré de repetirles que soy un Goyeneche, por Dios santo.

Barcelona, 1986

ÍNDICE

Este libro se imprimió en los talleres
de Diagràfic, S. A.
Barcelona

DATE